El nuevo restaurante de Pierre Quintonil

El nuevo restaurante de Pierre Quintonil

Norma Muñoz Ledo

Ilustraciones de Gabriel Gutiérrez

ediciones SM

Muñoz Ledo, Norma
El nuevo restaurante de Pierre Quintonil / Norma Muñoz Ledo ;
ilus. Gabriel Gutiérrez – México : Ediciones SM, 2003 [reimp. 2014]
124 p. : il. ; 19 x 12 cm – (El barco de vapor. Naranja ; 16)

ISBN : 978-970-688-355-1

1. Novela mexicana – Emociones. 2. Gastronomía – Literatura infantil.
I. Gutiérrez, Gabriel, il. II t. III. Ser.

Dewey 863 M86

Ilustraciones y cubierta: Gabriel Gutiérrez

Primera edición, 2003
Decimosegunda reimpresión, 2014
D. R. © SM de Ediciones, S. A. de C. V., 2003
Magdalena 211, Colonia del Valle,
03100, México, D. F.
Tel.: (55) 1087 8400
Para conocer SM, su fondo editorial y sus servicios: www.ediciones-sm.com.mx
Para comprar libros de SM en línea: www.libreriasm.com

ISBN 978-970-688-355-1
ISBN 978-968-779-176-0 de la colección El Barco de Vapor

Miembro de la Cámara Nacional de la Industria Editorial Mexicana
Registro número 2830

Impreso en México / *Printed in Mexico*

A Paqui, Noni, Milú y Papina,
por todos los buenos ratos
que hemos pasado en la cocina

El nuevo restaurante de Pierre Quintonil

HAY días en los que uno se levanta con el pie izquierdo, en serio. Ese diez de diciembre fue uno de esos días grises de todo a todo. Amaneció nublado y como a la una el aire se puso pesado y húmedo. Lluvia de diciembre. Y encima, era martes.

Todos los días, cuando salgo de la escuela, tengo que pasar al kínder por mi hermano Rodrigo, que tiene cuatro años. Nuestras escuelas están juntas, pero él sale a la una y yo a las dos y media, así que me tiene que esperar una hora y media. Cuando llego por él, está muy cansado y a veces hasta se duerme. Los lunes, miércoles y viernes la mamá de Paula, mi mejor amiga, nos pasa a dejar porque lleva a Pau a su clase de ballet y nuestra calle le queda de camino. Los martes y jueves, nos vamos caminando. Son sólo tres cuadras, yo me las echo en un dos por tres, pero Rodrigo a esa hora está cansado y camina muy despacio. Lo peor es cuando quiere que lo cargue, porque pesa como cien kilos.

Ya faltaba media cuadra para llegar a la casa cuando Rodrigo se sentó en el suelo.

—¿Qué te pasa? –dije.

—Estoy cansado. ¡Cárgame!

—No puedo Rodrigo, pesas mucho. Ya falta poquito.

Al final tuve que cargarlo porque ya no podía dar un paso más. Y cuando llegamos a la puerta de la casa, ¡zas!, lo peor: no encontré mis llaves por ningún lado. Y en eso, peor sobre peor: empezó a llover. Revolví toda mi mochila, pero nada. Entonces me acordé: las había dejado encima de la cama cuando saqué todas mis cosas para buscar el sacapuntas.

—Isa ¿por qué no abres? –preguntó Rodrigo.

—Es que dejé las llaves adentro.

—Me estoy mojando.

—Ya lo sé.

La lluvia caía cada vez más fuerte. De repente vi el techito del restaurante que habían abierto frente a nuestra casa y se me ocurrió que Rodrigo y yo podíamos refugiarnos ahí. Le di la mano y cruzamos la calle.

—Tengo hambre, Isa –dijo Rodrigo.

—Ya lo sé, pero vamos a tener que esperar a mamá –le contesté, mientras me sentaba en los escalones que llevaban a la puerta del restaurante.

Mamá llega de su trabajo a las cuatro. Todos los días nos deja la comida lista en el refrigerador: la sopa, el guisado y la ensalada. Yo sólo tengo que calentar las cosas. A veces, cuando le da tiempo, nos hace agua de limón.

Estábamos en las escaleras viendo llover, cuando Rodrigo apoyó su cabeza en mis rodillas y se durmió. Entonces me quité el suéter y lo tapé. La lluvia no pasaba, así que me fijé en el restaurante. Era nuevo, hacía como un mes que había abierto. Esa casa era muy vieja, estuvo abandonada como veinte años. Bueno, eso dice mi mamá, porque yo nada más tengo diez, pero desde que yo me acuerdo estaba abandonada. Los techos se habían caído y adentro había basura, madera rota y unas plantas que nacieron y crecieron ahí. Hace dos años la pusieron en venta y en mayo de este año vino un señor gordo que la vio días y días; luego la compró y empezó a arreglarla. Hace tres sábados vimos que el gordo estaba pintando un letrero en uno de los vidrios, que decía:

EL NUEVO RESTAURANTE DE PIERRE QUINTONIL

—¡Pierre Quintonil! –dijo mi mamá cuando lo leyó. Qué nombre más raro. No creo que pegue un restaurante en una callecita como ésta.

La lluvia no paraba y mis tripas empezaron a rechinar. Y también las de Rodrigo, que aunque estaba dormido, le sonaban. Además, me moría de frío, mi nariz y mis orejas estaban como témpanos. Para rematar, me empezó a entrar un

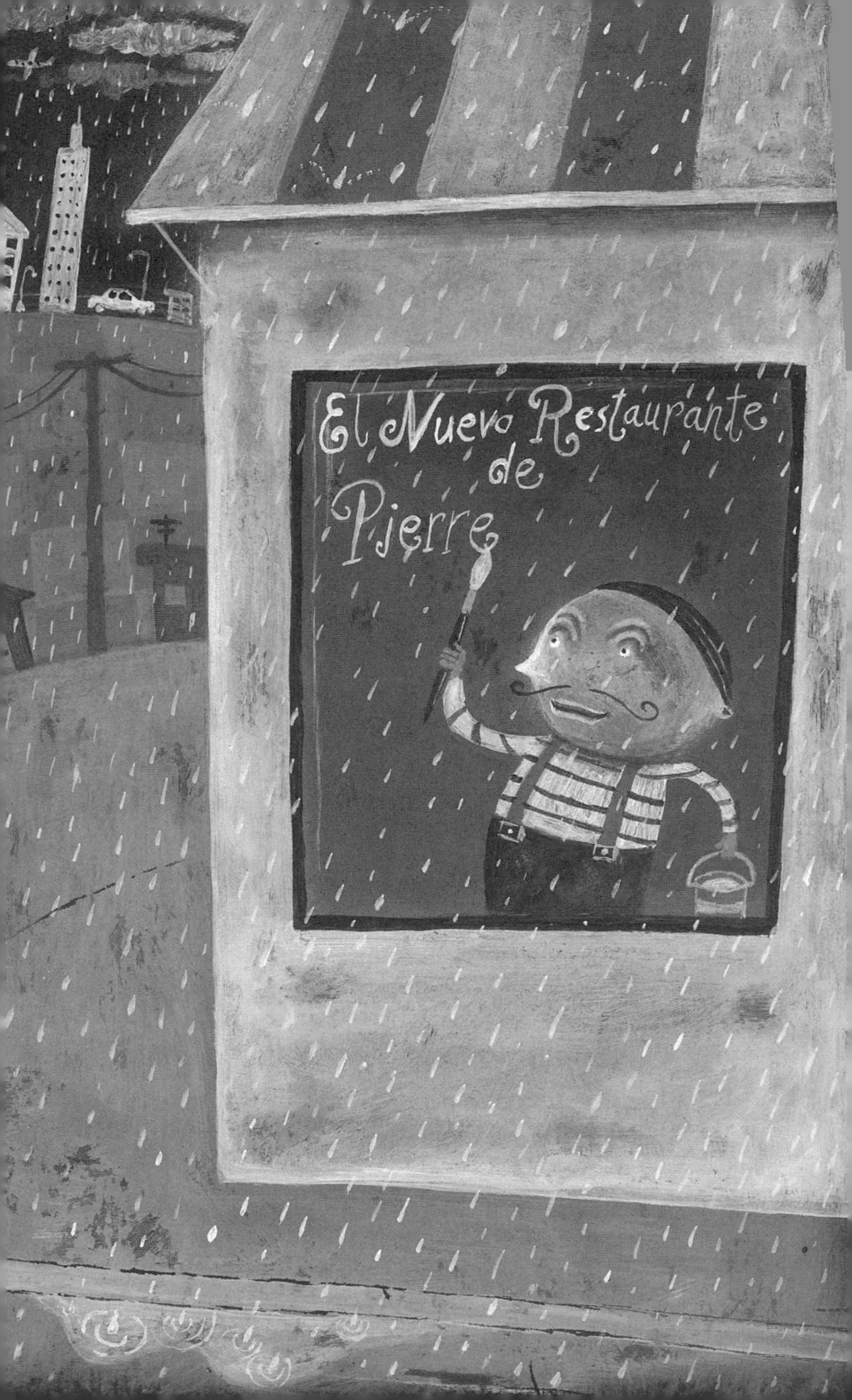
El Nuevo Restaurante
de
Pierre

ansia muy fuerte por mi mamá, ¿qué diría cuando llegara y nos viera ahí, sentados en la calle? Le iba a dar el zupiritaco, por lo menos.

En eso, oí una campanilla que sonó atrás de nosotros. Sonaba cada vez que se abría la puerta del restaurante, y en ese momento, un señor iba saliendo y se despedía a gritos del dueño.

—¡Adiós, Pierre! –gritaba– ¡Qué buena estuvo la sopa de cebolla! ¡Me siento como nuevo!

Después oí una voz ronca que se acercaba a la puerta.

—¡Que te aproveche, Miguel! –dijo la voz ronca, cada vez más cerca– ¡Espero verte pronto otra vez!

—¡El próximo martes, sin falta, vengo con mi esposa! –gritó el tal Miguel.

—¿Para qué tanto grito? –pensé– podrían hablar más quedito, van a despertar a Rodrigo.

En eso, el gordo se asomó a la puerta y nos vio. Lo primero que pensé es que nos iba a decir que nos quitáramos y dejáramos el paso libre en su escalera. Pero no.

—¿Qué hacen ahí? –preguntó.

—Es que... está lloviendo –respondí.

—Eso ya lo vi. Ustedes son mis vecinos, ¿verdad? ¿Por qué no están en su casa?

—Es que... se me olvidaron mis llaves.

—Ah... –dijo el gordo extrañado– ¿ya comieron?

—No, pero no importa, esperamos a mi mamá, ya casi llega –dije.

11

—Eso sí que no. Pásenle y les doy algo de comer. Aquí hace mucho frío –dijo el gordo y hablando y haciendo, cargó a Rodrigo y se metió al restaurante. Yo me paré de un brinco y fui tras ellos.

El gordo entró muy aprisa y derechito a la cocina. Yo lo seguí y en cuanto entré, me quedé parada en la puerta. Nunca había visto una cocina así. Además del calor tan rico que se sentía y de lo bien que olía, era muy grande y estaba llena de anaqueles con cazuelas de barro, platones, moldes, ollas, sartenes y cacerolas, de todos tamaños. También tenía un colgador en el techo de donde colgaban más cazuelas y cucharones grandes y chicos. La estufa era la más grande que había visto en mi vida. En ella había varias ollas que tenían algo hirviendo y las tapaderas se movían como bailando. De pronto sentí un picor en la nariz y en las orejas: se me estaban descongelando.

De pie, junto a una mesa de metal, estaba un muchacho delgado, con cara de dormido, que picaba cebollas con mucha calma. En eso, de una puerta que había hasta el fondo, salió una señora chaparrita, cachetona y muy chapeada con una gran cuchara de madera en la mano. Al pasar junto al flaco de las cebollas, le dio un cucharazo en las pompas sin ningún cariño.

—¡Apúrate, Cirilo, esas cebollas son para hoy! –gritó la cachetona.

El flaco abrió los ojos como canicas y empezó a partir las cebollas a mil por hora.

En cuanto la señora nos vio, preguntó con cara seria:

—¿Quiénes son ellos?

—Son los vecinos –dijo el gordo– hoy comerán aquí.

—¿Vecinos, eh? –dijo la señora, poniendo mejor cara– ¿cómo se llaman?

—Yo, Isabel. Y mi hermano, Rodrigo –contesté viendo a Rodrigo que seguía cuajado.

—Ella es mi tía Otilia, pero le decimos Oti y yo soy Pierre –dijo el gordo.

—Mucho gusto –dije.

—Siéntate aquí –dijo la tía Oti, señalando una silla que estaba junto a la mesa de metal. En cuanto me senté, el gordo puso a Rodrigo en mis brazos.

—Ahora dime, ¿qué quieren comer? –me preguntó.

—Nada, señor –le contesté– no traigo dinero.

—De eso, ni hablar –dijo el gordo– son mis invitados. ¿Qué quieren comer? Tengo sopa del día, guisado del día, ensalada del día y el postre del día que siempre es una sorpresa.

—¿Cómo que del día? –pregunté.

—Explícale un poco, Pierre —dijo la señora.

El gordo la miró sin entender, pero enseguida alzó las cejas, diciendo: "*Ah, oui, oui*" y moviendo la boca de un modo raro, como si fuera a chiflar, nos explicó:

—La sopa del día es de cebolla, el guisado del día es pollo con setas, la ensalada del día es de zanahoria y el postre del día, como te dije, siempre es una sorpresa.

Todo eso sonaba bastante bien y yo tenía mucha hambre. Le dije que sí con la cabeza. Después se lavó las manos y se puso un gorro blanco muy alto, de esos que usan los chefs.

—Y ahora, manos a la obra –dijo dando un aplauso y poniendo una cara muy seria. Luego, se acercó y me miró fijamente a los ojos.

—¿Pero qué le pasa a este gordo? –pensé.

—¡Muy bien! –dijo él, dando otro aplauso. Y haciendo un paso muy chistoso, fue por unos tazones y mientras los llenaba con sopa caliente, cantaba:

Sopa de cebolla,
con hueso de chirimoya,
se come sin mucha prisa,
para traer la risa.

—¿De veras tiene hueso de chirimoya? –pregunté asomándome al tazón donde Pierre ponía un poco de queso rayado y una rebanada de bolillo horneado con mantequilla. Lo del hueso de chirimoya no me gustaba.

—Es un ingrediente secreto, absolutamente indispensable –contestó.

En eso despertó Rodrigo, bostezó y miró el plato de sopa.

—¡Yo también quiero eso! –dijo. El gordo le sirvió un tazón y le puso queso y pan.

Si yo hubiera pedido mi sopa favorita, sería un espagueti con salsa de jitomate, jamás se me ocurriría pedir sopa de cebolla. Pero esta estaba sabrosa y además, con cada cucharada yo quería encontrar el sabor de la chirimoya.

—No me supo a chirimoya –dije cuando me la terminé.

—Es que nada más se le pone un hueso. Es sopa de cebolla, no de chirimoya –dijo el gordo– y ahora dime, ¿qué parte del pollo quieren?

—Pierna –contesté– y también Rodrigo. Nos gusta la pierna.

—Bueno, pierna –dijo el gordo y haciendo otra vez una cara chistosa, se acercó a mirar los ojos de Rodrigo.

Luego se acomodó dos platos en un brazo y nos sirvió el pollo mientras decía:

Pierna de pollo
con hongo criollo,
algo de morilla,
con chile pasilla,
y hierbas de olor,
para tener calor.

—¿Quieren ensalada, verdad? –preguntó en cuanto terminó de servir el pollo. Rodrigo y yo contestamos que sí con la cabeza, y con los platos todavía en su brazo, sirvió una en-

salada que estaba en un platón cuadrado, mientras decía:

> *Ensalada*
> *de zanahoria*
> *con chicoria,*
> *al aliño*
> *de mango niño,*
> *para sentir cariño.*

Yo estaba con el ojo cuadrado. Esa manera de
servir la comida estaba padrísima, aunque sería
mejor no intentar en la casa lo de los dos platos
en el brazo. Cuando nos trajo el pollo, le ayudé a
Rodrigo a partir el suyo, se lo comió en un dos
por tres y hasta se chupó el hueso.

Mientras comíamos, yo miraba al gordo que
andaba ocupado haciendo cosas en la cocina y
dándole órdenes a Cirilo, que ahora estaba picando unos mangos petacones. Viéndolo bien,
el gordo no era tan gordo, más bien estaba medio cachetón, igual que su tía. Y mientras pensaba en sus cachetes, me di cuenta de algo un poco
raro. Bueno, ahora no se me hace nada raro,
pero en ese momento sí. Yo tenía muchas razo-
nes para estar de malas: la lluvia, las llaves, el
hambre, el zupiritaco de mi mamá (que todavía
ni le daba), pero mientras comía, me sentía cada
vez más contenta. Era como si me hubiera comido una risa en polvo. En eso, Cirilo se quedó
dormido ahí parado, mientras picaba los man-

gos, y empezó a roncar. Rodrigo y yo nos miramos y nos atacamos de risa. Tía Oti lo miró, meneó la cabeza, fue por un hielo al congelador y se lo metió en la camisa. Cirilo frunció la cara y se encogió toditito.

—¡Es un caso perdido! –dijo la tía Oti–. Pero con eso, está despierto por lo menos dos horas.

—¡Este muchacho no tiene remedio! –agregó el gordo, suspirando– ¡Ya lo probamos todo y nada funciona!

—¿Usted se llama Pierre Quintonil? –pregunté de repente.

—*Oui, oui* –contestó haciendo boca como de inflar globos– en realidad mi apellido es Cornichón, pero cuando era chico mi mamá me decía "tonilito", porque cuando estaba esperándome tenía mucho antojo de quintoniles.

—¿Qué son esos?

—Unas hierbas que se dan en tiempo de aguas y se preparan con salsa verde y carne de puerco.

—Ah... ¿usted es francés?

—Háblame de tú. Soy francés a medias. Mi papá era francés y mi mamá es mexicana, del estado de Veracruz. Ella todavía vive allá.

—¿Y su... tu papá?

—Murió hace diez años.

—El mío también. Hace dos años.

—Qué pena –dijo Pierre poniéndose serio– pero ¿qué me pasa? ¡Falta el postre!

—¿Qué hay de postre? –preguntó Rodrigo con cara de curiosidad.

—El postre del día es una especialidad de la casa –dijo Pierre haciéndose el interesante– una cosa muy sabrosa, para paladares refinados.

—Ya cierra esa trompita y sírveles su postre –intervino la tía.

Pierre sacó dos platos pequeños y sirvió un flan color melón que se veía muy aplastado.

—¿Es un flan? –pregunté con desconfianza.

—No, no –contestó Pierre–, es un turrón.

Mientras hablaba, agregó una bolita de algo cremoso junto al turrón y encima esparció unos cuadritos de mango petacón.

—¿Este no tiene canción? –preguntó Rodrigo cuando nos puso el plato enfrente.

Pierre nos miró sonriente. Luego se echó para atrás y cerró los ojos.

—Claro que sí:

Turrón de melón con requesón
y cuadros de mango petacón,
para que empiece la animación.

Yo miré mi plato con cara de fuchi. El melón no me gusta, pero me dio curiosidad el probar a qué sabía, así que me llevé una cucharada a la boca.

—En cada bocado pongan un poco de requesón y un cuadrito de mango –dijo Pierre y salió de la cocina.

Rodrigo se comió primero todos los mangos, luego se chupó el requesón con el dedo y al final

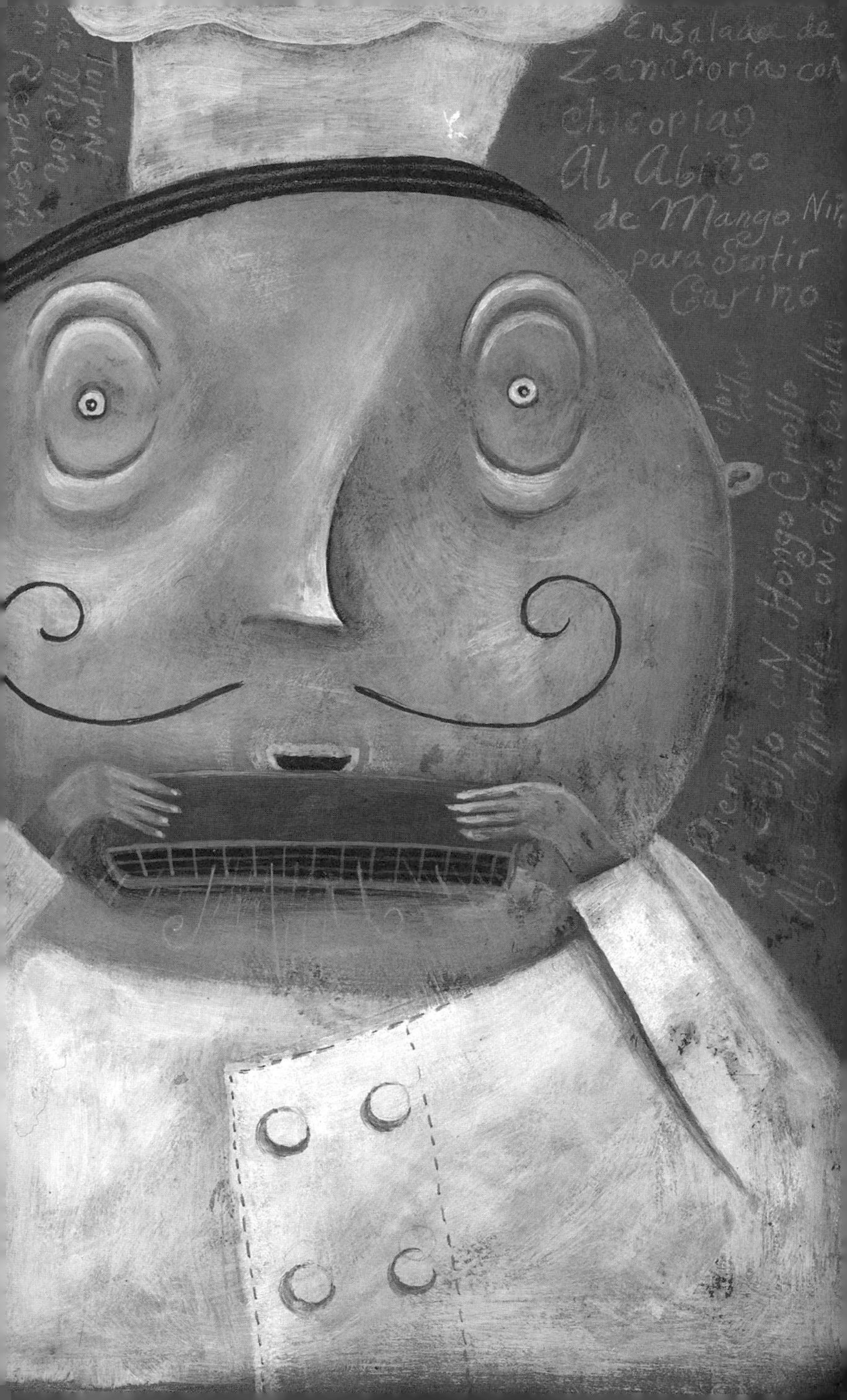
Ensalada de
Zanahorias con
de Mango
para Sentir

se comió el turrón. Yo traté de combinar las tres cosas en cada cucharada. Y, la verdad, sabía buenísimo. En cuanto terminamos Pierre regresó tocando una armónica de esas que siempre salen en las películas de París. Su música era tan alegre que los pies y las piernas se me movían solos, como si fuera cosa de ellos. La tía Oti dejó lo que estaba haciendo y le dio la mano a Rodrigo para bailar con él. Cirilo ya había acabado con los mangos y seguía pegado a su tabla de picar, como un robot esperando una orden.

—¡Baila con la niña, Cirilo! –dijo la tía Oti. Y como si le hubieran echado un hielo en los chones, en cuanto Cirilo oyó la palabra "baila" me dio las dos manos y zapateamos por toda la cocina. Para todo lo demás, Cirilo era muy lento, pero a la hora de bailar parecía que le daban cuerda.

No sé cuánto tiempo bailamos y zapateamos, lo que sí sé es que de pronto acabó la música y como si me hubiera caído una cubeta de agua fría en la cabeza me acordé de la hora y vi mi reloj.

—¡Las cuatro! ¡Vámonos Rodrigo! ¡Ya va a llegar mamá!

—¡Otro ratito! –pidió Rodrigo.

—¡No! ¡Mamá se va a atacar! –dije mientras tomaba mochilas, suéteres, loncheras y le daba la mano a Rodrigo– ¡Adiós a todos!

—¡Un momento! –dijo Pierre con voz muy seria– no se pueden ir así. Yo los acompaño.

—¡No! –grité. Todos me miraron con cara de susto– mejor nos vamos nosotros solos.

Pierre y su tía se miraron rápidamente.

—Como quieras, Isabel –dijo la tía con cara alegre– vengan cuando quieran.

—¡Vengan mañana! –dijo Pierre.

—¡Sí! ¡Mañana! –Rodrigo se apuntó luego luego. Yo nada más sonreí y les dije adiós con la mano.

Cuando salimos del restaurante ya había dejado de llover y vimos que mamá estaba abriendo la puerta de la casa. Nos cruzamos rápido la calle.

—¡Mamá! –grité.

—¿De dónde vienen? –preguntó mi mamá con cara de ansia.

—De allá enfrente. Comimos con Pierre *Trintonil* –dijo Rodrigo aprisa.

—Quintonil –corregí.

—¿Por qué?

—Es que... se me olvidaron las llaves adentro, estaba lloviendo y como nos tapamos en su techito, nos invitó a comer.

Mamá nos miró seria. Volteó a ver el restaurante y nosotros también. No se veía a nadie. Sin decir nada, todos entramos en la casa. Adentro, Rodrigo le dijo a mamá todo lo que comimos y entre los dos le contamos de las rimas de Pierre. Ella nos oyó muy atenta, aunque de repente me echaba unas miraditas medio raras. "No le dio el zupiritaco", pensé. Pero es que hay de zupiritacos a zupiritacos. Unos son calladitos y otros de mucho grito, pero de que son zupiritacos, no hay duda.

En la noche, cuando ya me iba a dormir, mamá entró a mi cuarto con su monedero y se sentó en mi cama.

—Isa... –dijo viéndome muy seria.

—Dime...

—Te voy a dejar dinero para que mañana le pagues al señor del restaurante.

—Pero él nos invitó.

—No me gusta deberle favores a nadie. Y mañana no se vayan a quedar a comer ahí.

—¿Por qué?

Mamá suspiró.

—Porque no.

—Pero fue muy divertido. Y comimos muy rico.

—Ya dije que no. Isa, tú debes ser más responsable. Eres la mayor y eres la que me ayuda; tú sabes cómo es esto. Nosotros tenemos que arreglárnoslas como podamos, no puedo aceptar que los inviten a comer en un restaurante. Y tampoco puedo pagarlo todos los días.

— 'Ta bien –dije, haciendo la boca de lado.

Mamá dejó el dinero en mi buró, junto a mi reloj. Yo me quedé un rato pensando. Cada vez que cerraba los ojos me acordaba de lo que había comido y, sobre todo, de lo que había sentido. Estaba segura de que había gato encerrado, pero ¿cómo lo iba a descubrir?

El gusanito

AL día siguiente, le conté todo a Pau a la hora del recreo. Pero no me quería creer.

—Isa, con la comida uno se llena la panza y punto, no se siente nada.

—Con esta comida, sí.

—No, Isa. Mira, lo que más me gusta es el arroz aguado y las albóndigas, y cuando mi mamá hace eso, me gusta y ya. Bueno, a lo mejor me sirvo dos veces, pero no siento nada.

—Es que yo estaba muy de malas y después de comer me sentí contenta.

—Eso le pasa a cualquiera. Yo, con hambre, que ni me hablen. Y después de comer ya estoy de buenas.

—No, no era eso. Era diferente.

Pau me miró con los ojos medio cerrados, como mira cuando está pensando cosas.

—¿No crees que le echaron algo a tu comida?

—¿Algo?

—Sí, tequila o algo así.

— ¿Cómo crees?

—Una nunca sabe. Y con los franceses, menos. Seguro le puso vino.

—No sabía a nada raro.

—Hay cosas que ni sabes que te las estás comiendo. ¿Has oído todo lo que dicen del colorante rojo? ¿Y qué tal lo que tiene el pollo? ¿Viste las fotos del pollo que era como una pechuga con patas?

—No, no era eso.

—¡Ya sé!... Lo que pasa es que es chef y todo le sale bien. Isa, no te ofendas, pero la comida de tu mami… ¡Bueno! –dijo Pau haciendo bizcos.

A mí me dio risa la cara de Pau. Y la verdad es que tenía razón, la cocina no era el fuerte de mi mamá.

—¿Te acuerdas del pastel en tu cumpleaños?

—Estaba tantito aplastado –dije.

—¿Tantito? ¡Parecía que se le sentó un elefante encima!

En eso sonó el timbre, ya se había terminado el recreo. El resto del día, Pau y yo no volvimos a hablar del tema. No tiene mucho caso hablar de algo con alguien que no te cree.

A la salida, como era miércoles, la mamá de Pau nos dio aventón. Todo el camino Rodrigo me preguntó si íbamos a comer con Pierre.

—No –le contesté.

—¿Por qué no?

—Porque mamá dijo que no.

—Pero estuvo rico.

—Sí, pero no podemos ir.

Rodrigo se enfurruñó y puso cara de enojado. Pau me miraba y su mamá también me miraba a través del espejo. Yo torcí la boca. Por suerte ninguna de las dos hizo preguntas.

En la casa, mamá nos había dejado pastel de pollo, crema de calabaza y ensalada de pepino. A Rodrigo no se le quitaba la cara de berrinche y cada vez que yo lo miraba, se agachaba enojado.

—No quiero comer esto –dijo– quiero ir con Pierre *Trintonil.*

—Cómetelo Rodrigo, no podemos· ir con Pierre.

—Pero esto no me gusta.

—Está bueno, sólo le falta sal –dije poniéndole sal a su comida.

—No quiero –insistió Rodrigo.

Ya conozco a Rodrigo, cuando dice que no, es que no y ya me estaba desesperando, pero también sé que si me enojo, él se enoja peor. Era momento de pensar en un trato.

—Cómetelo y te hago un postre especial –dije.

—¿Qué postre?

—Mmm... plátano con crema.

—Guácala.

—Galleta María con cajeta.

—Guácala.

—Pan con mermelada.

—Fúchila.

—Malvaviscos.

—Cacaguácala.

—¿Quieres tomar el postre con Pierre? –se me ocurrió decirle.

—¡Sí! –gritó contento.

Sabía que tenía que ir a pagarle, aunque claro que lo del postre no estaba incluido, pero al ver que no había más cosas dulces en la despensa, pensé que no era mala idea.

Rodrigo y yo seguimos comiendo, pero a mí ya me había entrado el gusanito de la preocupación. Si íbamos con Pierre, teníamos que regresar antes de las cuatro, para estar en la casa cuando llegara mamá. Y además, tenía que convencer a Rodrigo de que no le dijera nada. Y todo eso no me gustaba. En cuanto acabamos de comer, Rodrigo se encaminó a la puerta. Yo tomé mis llaves y las apreté en mi mano. El gusanito no se quería ir.

En menos que canta un gallo estábamos frente a la puerta del restaurante. Rodrigo la empujó y sonó la campanilla. En el comedor había como diez mesas y cuatro estaban ocupadas. Al oír la campanilla, Pierre salió de la cocina y sonrió al vernos.

—¿Vienen a comer otra vez? –preguntó alegre.

—No –le contesté– venimos a pagarle la comida de ayer.

—*No, no, no* –dijo Pierre otra vez con boca chistosa– ayer los invité, nada de pagar.

—Por favor –insistí– es que mi mamá me dijo que te pagara. Si no te pago, se va a enojar.

Pierre nos miró serio y aceptó el dinero.

—¿Tienes postre? –preguntó Rodrigo.

—*Mais oui!* –dijo Pierre contento– vengan por acá.

Pierre entró a la cocina, y otra vez, nosotros lo seguimos. La tía Oti estaba probando un guisado y nos saludó muy contenta. Cirilo estaba medio despierto, machacando unos aguacates en un molcajete y también nos sonrió. Rodrigo y yo nos sentamos en las mismas sillas del día anterior.

—El postre del día, siempre es una sorpresa –volvió a decir Pierre.

—¿Qué es? –preguntó Rodrigo impaciente.

—Sorbete de aguacate.

—Fúchila –contestó Rodrigo con cara de asco.

—El aguacate con azúcar es un manjar –dijo Pierre.

—Fúchila –repitió Rodrigo.

—*No repelar hasta no probar,* yo siempre digo eso –dijo Pierre frunciendo las cejas.

—Yo sí quiero –dije. La verdad es que el aguacate con azúcar no se me antojaba, pero tampoco se me habían antojado la sopa con hueso de chirimoya, ni el turrón de melón y todo había estado muy bueno.

—Yo también quiero –dijo Rodrigo cuando oyó que yo sí quería.

Pierre lo miró todavía con las cejas fruncidas. Fue hacia el refrigerador y sacó un traste de metal que tenía un helado verde adentro. Luego tomó dos copas anchas y chaparras y sirvió en ellas dos bolas verde claro esparciendo unos cuadritos de ate verde sobre el helado. Después me miró a los ojos y dijo:

Sorbete en molcajete
con aguacate y un poco de ate,
se come poco a poquito, muy despacito,
para quitar el gusanito.

Cuando Pierre dijo eso, sentí que mis cachetes se calentaban como agua hirviendo. ¿Cómo sabía que yo sentía un gusanito? Seguro me puse como jitomate, pero Pierre no dijo nada. Nos dio el helado y esperó a que lo probáramos. Sabía buenísimo.

—'Tá rico —dijo Rodrigo con la boca llena.

—¿Ya ves? —dijo Pierre— ya te había dicho.

—¿Por qué lo hace en el molcajete? —pregunté— ¿No es más fácil en la licuadora?

—*Ah, no, no* —dijo Pierre con boca de chiflido— aplastar el aguacate con el tejolote, le da muy buen sabor.

—¿Te acuerdas del tecolote con zapote? —preguntó la tía Oti.

—No era con zapote —contestó Pierre— era tecolote con tejocote, machacado con tejolote, en el molcajete, sazonado con axiote y echalote.

—También le poníamos epazote y granos de elote.

—Y hasta flor de izote, todo envuelto en hojas de mixiote.

—¡Era el plato favorito del papá de Pierre! Y como era francés le ponía muchos echalotes –dijo alegre la tía Oti.

—¿Qué son los echalotes? –pregunté.

—Son unas cebollas que tienen un sabor muy fuerte, entre cebolla y ajo. Se usan mucho en la comida francesa y a mi papá siempre le gustaba mezclar la comida mexicana con la francesa.

En eso se oyó la campanilla de la puerta y enseguida, una voz chillona de mujer que entró grite y grite.

—¡Un teléfono, por favor! ¡Préstenme un teléfono!

Pierre y la tía Oti se miraron y fruncieron las cejas. Pierre asomó la cabeza por la puerta de la cocina.

—¿Qué se le ofrece, *madame*? –preguntó levantando una ceja.

—¡Un teléfono! –contestó agitada la señora– ¡Me acaban de chocar! Es que mi coche es una carcacha, ya sabe, los coches que le dan a una los maridos! ¡Y el fulano se fue, hágame el santísimo favor! A él sólo se le abolló un poco el cofre, pero a mí me dejó como acordeón. ¡Ay, si se hubiera bajado ya vería cómo le dejaba la nariz! ¡Igual que mi defensa! ¡Ni más ni menos! ¡Un teléfono, por favor! ¡Tengo que hablarle al ton… a mi marido!

La voz de la señora se oía a tres cuadras a la redonda. Hasta Cirilo se espabiló. La tía Oti nos miró y cerró los ojos apretados, meneando la cabeza, luego tomó un teléfono inalámbrico que estaba en la cocina y se lo llevó a la señora.

—Tenga, señora, haga su llamada –le dijo con cara de glaciar.

La señora marcó el teléfono, pero estaba ocupado y eso no le pareció.

—¡Claro! ¡Tenía que estar ocupado! ¡Toda la santa vida está ocupado el teléfono en esa oficina! ¡Y yo aquí! La oficina está muy cerca, eso sí... ¡pero faltaba más, yo no voy a cami...!

—¡Ejem! ¡*Madame!* –interrumpió Pierre con su voz ronca– ¿Gusta usted pedir algo mientras espera?

La señora lo miró un poco seria, pero luego suspiró resignada.

—Está bien. Déjeme ver la carta.

—No tenemos carta. Es sopa del día, guisado del día, ensalada del día y el postre del día, que siempre es una sopresa.

La señora abrió la boca, seguramente para discutir la falta de carta, pero al ver la cara de Pierre, cerró el pico.

—¿De qué es la sopa del día?

—De berro con puerro.

—¡¿De berro con pue...?! No, no. ¿Y el guisado?

—Salpicón de mejillón.

La señora puso el ojo redondo, como lo pone uno cuando no sabe de qué le hablan, pero no se atrevía a preguntar.

—Bueno mire, tengo hambre, tráigame eso –dijo.

Pierre regresó a la cocina. No miró a nadie mientras preparaba el plato de la señora, pero se oía que murmuraba algo. Mientras, la señora seguía marcando el teléfono una y otra vez. Yo no le quitaba el ojo a Pierre, quien con mucha calma acomodaba un salpicón de dudoso aspecto (imagínate unos mejillones hechos salpicón) en un plato y con cuidado en una flanera, apachurraba ensalada de calabaza para hacer una montañita apretada.

—*Voilà!* –dijo cuando terminó de servir– ¡Listo! Ahora, lo más importante...

—¡La canción! –dijo Rodrigo.

—¡Claro!:

> *Salpicón de mejillón*
> *con timbal de calabaza,*
> *a la hoja de mostaza*
> *y una pizca de hinojo,*
> *Para aquello del enojo.*

—¡Es un escándalo! –gritó otra vez la señora, que no se podía comunicar con su marido– cuando una tiene una emergencia, todo mundo colgado del teléfono, ¡qué les pasa!

Pierre miró al techo y caminó hacia el comedor. La tía Oti, mientras tanto, picaba algo rapidísimo.

—¡Espérate! –gritó y corrió hacia Pierre para agregarle unas hojas verdes al plato, mientras decía: *y lechuga orejona, pa'que se le quite lo gritona.*

Yo me moría de la curiosidad por saber qué pasaría, así que con mucho cuidado hice mi silla para atrás, así podía mirar a la señora sin ser vista.

—¿Qué es esto? –dijo la gritona en cuanto vio su plato.

—Lo que pidió, *madame*, salpicón de mejillón. La señora torció la boca.

—Bueno, sírvame una copa de vino blanco, por si se me atoran los mejillones –pidió.

Pierre regresó a la cocina. Yo espiaba a la señora. Y vi que el vino blanco no le hizo falta para nada. Dio la primera probada con desconfianza y cara de fuchi, pero luego puso cara de que sí le gustaba y saboreó cada bocado. Tardó cinco minutos en acabarse su plato y casi casi se lo relame; yo la vi meter el dedo para chupar un poco del caldito que había quedado. Al terminar, la señora se quedó calladita, lo cual seguro era rarísimo en ella. Luego, volvió a intentar su llamada. Al fin, le contestaron.

—¿Jaime? Fíjate que choqué... –dijo muy tranquila– sí... ¿En el otro coche? Iba un muchacho... Sí, se fue... No, no me pasó nada... No, a él tampoco... Estoy en un restaurancito en la calle de Jacaranda... Sí, aquí te espero...

Mientras la señora hablaba, Pierre secaba unas copas y sonreía. La tía Oti también sonreía. Yo estaba tan sorprendida que la cuchara con helado se había quedado a medio camino hacia mi boca. El helado ya se estaba derritiendo y goteaba.

—¡Quiero más postre! –gritó de repente Rodrigo.

—Se dice "por favor" –dije.

—¡Se dice por favor! –repitió Rodrigo.

Pierre le sirvió más helado con ate. Yo miré mi reloj.

—Ya casi tenemos que irnos, Rodrigo, apúrate con el helado –dije, pero ni hacía falta, porque lo cuchareó aprisa, como si no hubiera comido nada en días. Cuando terminó, me paré para despedirme.

—¿Nos vemos mañana? –dijo Pierre.

—¡Sí! –contestó rápido Rodrigo.

—No sé –dije.

—Puede ser sólo un rato, como hoy.

—¡Sí! –dijo otra vez Rodrigo.

—Ya cierra la trompita, Pierre –agregó la tía Oti– déjalos que se vayan.

Dije adiós con una mano, le di la otra a Rodrigo y empezamos a caminar hacia la puerta. Cuando la abrí asomó su cabeza un señor chaparrito, muy calvo y con lentes. Nos miró con ojos de ratón asustado.

—¿No saben si está mi esposa por aquí? –preguntó.

Todavía no le contestábamos cuando el señor vio a su esposa, que era nada menos que la gritona.

—¡Virtudes! –dijo el señor con voz de angustia, entrando al restaurante– ¿Estás bien?

—¡Estoy en perfecto estado, como siempre! –dijo la señora, con una voz muy tranquila. Su esposo la miró y luego a nosotros y después a Pierre, que estaba parado en la puerta de la cocina.

—¿De veras está bien mi esposa? –insistió– ¿No se pegó en la cabeza ni nada?

—*No, no, no, monsieur* –dijo Pierre– ella está bien.

—Es que la última vez que chocó... bueno... usted sabe, se puso un poco difícil. El otro conductor acabó en el hospital... y no precisamente por el choque –explicó el señor.

—¡Qué cosas dices, Jaimillo! –dijo la señora– estoy muy tranquila. Bueno, sí, choqué y el tipo se fue, pero ya pasó, ¿qué le vamos a hacer? Vámonos a la casa, mañana venimos por el coche. Y podemos comer aquí, la comida no está mal.

El marido se quedó con la boca abierta y no la podía cerrar. Los dos se despidieron de Pierre y salieron del restaurante. Antes de salir, miré a Pierre y él me guiñó un ojo.

Rodrigo y yo cruzamos la calle y entramos a la casa. El venía muy contento.

—Rodrigo, lo del postre con Pierre es un secreto –le dije poniendo la cara más seria que pude y mirándolo a los ojos– no se lo cuentes a mamá, por favor.

—¿No?

—No.

—¿Mañana vamos con Pierre?

—No.

Rodrigo me miró enojado.

—Si no vamos mañana, le cuento a mamá.

—Si le cuentas, mamá nos lleva muy lejos de aquí y nunca volveremos al restaurante de Pierre.

Rodrigo suspiró.

—Ya sé, tengo una idea –dijo– ¿qué tal si mañana otra vez le pedimos un postre, uno chiquito?

Ese Rodrigo era de veras insistente.

—Lo voy a pensar, ¿si? Pero de una vez te digo que quién sabe.

Al rato llegó mamá y la acompañamos al súper. Nadie volvió a tocar el tema del restaurante. En la noche, antes de dormir, yo seguía pensando en mi gusanito. La verdad era que seguía ahí, aunque ya no me molestaba tanto. De pronto me dieron ganas de asomarme por la ventana de mi cuarto, que daba a la calle, y desde ahí podía verse el restaurante. A esa hora estaba cerrado y se veía todo oscuro, excepto una pequeña lucecita en la cocina, ¿qué estarían haciendo?, me pregunté.

Entonces pensé algo: ¿qué tal si Pierre y su tía eran algo así como brujos que hacían pociones en la noche y se las echaban a la comida? A lo mejor Pau tenía razón y la comida tenía algo. Quizá tenían un caldero y hacían "la poción para sentirse contento" o "la poción para tener calor" y le echaban cosas asquerosas como intestinos de lenguado y eso. Pero luego pensé que no, que no podía ser porque su comida era muy rica y ellos se veían muy buena onda. Aunque uno nunca sabe. Lo que sí sabía es que esos pensa-

mientos eran muy complicados para esa hora de la noche, así que mejor me dormí, con la idea de que al día siguiente lo comentaría con Pau.

Cristina Ruiz Palastrina

A la hora del recreo le dije a Pau:

—Ayer volvimos al restaurante.

—Pero tu mamá te dijo que no fueran –contestó.

—Es que fuimos a pagarle y nos quedamos a tomar un helado. ¿Y sabes? creo que *sí* le ponen algo a la comida.

—¿Ya ves? Yo te lo decía. Tengo muy buen ojo –dijo Pau haciéndose la interesante– ¿cómo supiste?, ¿los viste?

—Ayer en la noche me asomé por la ventana y todo estaba oscuro, menos una lucecita en la cocina.

—¿Y? ¿Se veía qué estaban haciendo?

—No.

—¿Entonces?, ¿cómo sabes?

—No es que sepa, es que creo. ¿Qué puede estar haciendo alguien con una lucecita en la noche?

—No sé. A lo mejor la dejan encendida para que el gato vea a los ratones.

—No tienen gato.

—Entonces, seguro tienen ratones –dijo Pau con cara de asco.

—Pau, acompáñame un día y prueba algo. Ya sé, mañana te invito a comer y luego vamos por el postre al restaurante –le propuse.

—Mañana no puedo, tengo comida con mi abuelita. Además, no sé... ¿qué tal si me pasa algo?, ¿quieres envenenar a tu mejor amiga? El otro día, en una telenovela vi que...

—¡No es veneno, Pau! Eres una miedosa y ves muchas telenovelas.

—¡Yo no soy miedosa! Es que no quiero probar eso. Y tú también ves telenovelas.

—¡Nunca!

—¡Ves la de las tres y media!

—Sólo la vi tres veces.

—Qué importa. No quiero ir ahí y tampoco quiero seguir siendo tu amiga ¡córtalas!

Y después de decir eso, se paró y se fue. Yo me quedé muy triste. Nunca me imaginé que Pau se iba a enojar por algo así. Si ella me lo hubiera pedido, yo sí hubiera ido.

El resto del día ni nos miramos. Cuando recogí a Rodrigo, sentía una bola en la garganta. Empezamos a caminar, yo casi ni hablaba. Rodrigo me miraba con los ojos tristes.

—¿Qué te pasa, Isa? –me preguntó.

—Nada –le contesté.

Mientras caminábamos, Rodrigo me miraba y de cuando en cuando me hacía un cariño en la mano. Al llegar a la casa, los dos volteamos a ver el restaurante, pero no dijimos nada.

Rodrigo se lavó las manos y se sentó a la mesa, yo puse a calentar la comida: albóndigas, arroz y puré de papa. Serví nuestros platos, pero estaba tan distraída que tiré el traste del puré. Lo peor fue que cayó completamente volteado y, cuando lo levanté, se había desparramado todo en el suelo. Que se caiga el puré no es el fin del mundo, pero ese día *sí*, así que me puse a llorar. Rodrigo me abrazó y también lloró, porque así le pasa, cuando me ve llorando, él también llora.

No era buena idea sentarnos a echar el moco, así que tomé una servilleta y le limpié la cara.

—A mí sí me gusta el puré –dijo Rodrigo.

—A mí también –le contesté–. Mira, lo que haremos es comernos el arroz y las albóndigas, y luego vamos con Pierre a ver si tiene puré.

Esa idea le encantó, así que los dos comimos rápido, limpiamos el puré lo mejor que pudimos y nos fuimos al restaurante de Pierre. En cuanto llegamos y sonó la campanilla, él salió muy sonriente de la cocina. Traía puesto su gorro blanco y un delantal, se veía muy apurado. Y es que todas las mesas estaban ocupadas.

Nos hizo pasar a la cocina y nos sentamos en el mismo lugar de los otros días. La tía Oti, con una charola en las manos y los cachetes muy chapeados, nos saludó con un beso. Cirilo, que estaba picando acitrón, nos saludó con la cabeza.

—¿Vienen por el postre? –preguntó tía Oti.

—Queremos puré –dijo Rodrigo– es que Isa tiró el que hizo mamá.

—¿Puré? –dijo Pierre– *mais oui,* hoy tengo uno muy especial.

En eso sonó la campanilla de la puerta y unos segundos después, alguien se asomaba por la puerta de la cocina. Era Cristina Ruiz Palastrina, que vivía al final de nuestra calle. Íbamos a la misma escuela, aunque ella estaba en el otro salón de cuarto, pero a Pau y a mí no nos caía bien y nunca le hablábamos. Llevaba una olla mediana en la mano.

—¿En qué puedo ayudarte? –preguntó Pierre.

—Mi mamá me dijo que acababan de abrir una fonda en la esquina, supongo que debe ser aquí –contestó levantando su nariz respingada y mirando a Pierre lentamente, desde la punta de su gorro blanco hasta la punta de sus zapatos.

—Esto no es una fonda, es un restaurante –dijo Pierre poniéndose serio.

—Da igual. Mi mamá quiere que le mande un kilo de arroz blanco con chícharos.

Pierre apretó los labios y la punta de su nariz se puso bastante roja.

—Dile a tu mamá que aquí no se vende comida para llevar.

Cristina lo miró sin entender qué le pasaba. Luego nos miró rápido a nosotros y otra vez a Pierre.

—Es que mi papi vino a comer y mi mamá no hizo sopa.

Pierre iba a contestar algo, pero intervino la tía Oti.

—Mira, hoy no hicimos arroz y no tenemos carta –dijo la tía– la sopa es, sopa del día. Si quieres, podemos enviarle a tu mamá un poco en esa olla que traes.

—¿De qué es la sopa? –preguntó Cristina con la nariz levantada otra vez.

—De cangrejo, con conejo y queso añejo –contestó Pierre, que todavía tenía roja la punta de la nariz– pero ya se nos terminó y estamos preparando más. Tendrías que esperar diez minutos.

—Bueno, me espero –dijo, haciendo la boca de lado. Y sin preguntarle a nadie, se metió a la cocina y se sentó junto a nosotros. Entonces Pierre me miró a los ojos fijamente.

—¿En qué estábamos? ¡Ah, sí!... Les decía que tengo un puré especial.

—¿De qué? –preguntó Rodrigo.

—Ah... ya verás –dijo Pierre mientras tomaba dos platos en los que servía un puré amarillo oscuro y le ponía unos trocitos de acitrón encima.

—¿Tiene canción? –preguntó otra vez Rodrigo.

—*Oui, oui, oui...*

> *Puré de camote con chicozapote,*
> *cuadritos de acitrón, tantito té limón*
> *y un toque de higo*
> *cuando se extraña a un buen amigo.*

Yo sentí otra vez los cachetes como tetera hirviendo. ¿Cómo sabía?, ¿cómo le hacía? ¡No era posible! Era cierto que lo único que tenía en mi cabeza era que Pau se había enojado conmigo y me sentía muy triste, pero ¿él cómo podía saberlo? Probé el puré. Estaba dulce y tibio, los cuadritos de acitrón casi se deshacían en la boca y en el fondo, muy en el fondo, se sentía un saborcito a limón que no era nada ácido. Cuando me lo terminé, ya no sentía la bola en la garganta y vi que Rodrigo ya se había acabado el suyo y me miraba contento. Entonces noté que Cristina nos observaba con interés.

—¿Quieres probar el puré? –le preguntó la tía Oti mientras servía unos platos.

—No. Me choca el camote. ¿Y qué es esa cancioncita que le dicen a la comida?

Pierre y la tía Oti se miraron un segundo, pero Cristina en realidad no quería una respuesta, porque siguió hablando y hablando.

—Ya empecé a hacer mi lista de regalos de Navidad –dijo– los que no me trae Santa Claus, me los compra mi papi. El año pasado, le pedí a Santa la moto de la Barbie, en la que se pueden subir dos niñas. Y no me la trajo, pero mi papi dijo que no importaba, porque él me la compraba y me la regaló. Está bien padre, ¿eh? Y no se la presto a nadie, porque mi papi dijo que otras niñas me la podían chocar. También me compró unas muñecas y un hornito de juguete y la máquina para hacer helados. Todo eso me lo compró mi papi, porque Santa nada más me trajo dulces de Estados Unidos, unos patines, unos plumones, un maquillaje y la casa de muñecas de la Barbie. Ah, y muchos, muchos vestidos para mis Barbies.

Rodrigo estaba con el ojo cuadrado.

—¡Cuántos regalos! –dijo.

Cristina dijo que sí con la cabeza.

—Yo ya sé qué le voy a pedir a Santa –siguió Rodrigo–: unos cochecitos y una pista, y un hombre araña y un batman, y también plumones... y me lo va a traer todo.

—Y si no te lo trae todo, ni modo –dijo Cristina acercando su cara a la de Rodrigo– porque tú no tienes papi.

Rodrigo me miró con ojos redondos y tristes y metió su manita entre las mías. Me paré de la silla de un brinco, tenía ganas de partirle la nariz a Cristina. Ella se hizo para atrás con cara de susto. Yo estaba tan enojada que se me olvidó que existían los demás; sólo pensaba en partirle la nariz. Y justo en ese momento, Pierre se puso en medio de las dos con la olla de Cristina llena de sopa. Ahora eran sus orejas las que estaban rojas-rojas y miraba a Cristina echando chispas por los ojos.

—Aquí está tu sopa –dijo Pierre apretando la olla con las dos manos. Cristina lo miraba pálida– pero antes de que te la lleves, le añadiré un sazón tuxpeño que le va muy bien.

—¿Un sazón qué? –preguntó Cristina con cara de susto.

—Tuxpeño –contestó Pierre, que ya había soltado la olla y estaba molcajeteando rápido chiles y otras cosas.

—A-a-a… a mis papás no les gusta el picante –tartamudeó Cristina.

—Sólo se le pone la punta de una cucharadita... para darle sabor –dijo Pierre, que ya estaba agregando una mirruña de la mezcla a la olla.

—¿Y la canción? –preguntó Rodrigo.

—¡Ahorita va! –contestó Pierre, mientras revolvía la sopa con una cuchara de madera:

> *Sazón tuxpeño de chile cuaresmeño,*
> *comapeño, xalapeño,*
> *con pizca de pimienta, pimentón*
> *y pimiento morrón*
> *y un aro de calamar, después de martajar,*
> *para quien le gusta molestar.*

Cuando Pierre terminó de revolver la sopa, le dio la olla a Cristina. Sus orejas ya no estaban rojas y sonreía. Cristina tenía los ojos como platos y nos miró, entonces se dio cuenta de que todos, hasta Cirilo y la tía Oti, la veían. Tomó la sopa y caminó hacia la puerta sin decir adiós.

—Después le manda la cuenta a mi mamá –dijo sin voltear atrás.

Todos oímos la campanilla de la puerta. Pierre empezó a reírse y la tía Oti, que salía rumbo al comedor con una charola de sopas del día, lo

miró con ojos de pistola. Cuando regresó del comedor, lo regañó.

—No se te haya pasado la mano con ese sazón tuxpeño, Pierre –le dijo muy seria.

—*Mais non,* apenas era suficiente –contestó Pierre.

—Más te vale –dijo la tía.

En eso Cirilo, que seguía picando acitrón, metió el dedo en la mezcla que quedó en el molcajete y luego lo chupó. Él pensó que nadie lo veía, pero yo sí. Y le pasó algo muy chistoso, nunca he visto nada igual: le salió un vaporcito blanco por la nariz y otro por las orejas, como fumarolas de un volcán, después empezó a sudar.

—Probaste esto, ¿verdad? –le preguntó la tía Oti– ¿Ya ves? Por andar de tentón. Corre a tomarte un vaso de leche y lávate las manos tres veces.

—¿Van a querer postre? –Pierre nos preguntó de repente.

—¡Sí! –contestó Rodrigo– ¿De qué es?

—El postre del día siempre es una sorpresa –dijo Pierre, viendo a Rodrigo fijamente a los ojos. Después sacó del refrigerador unos moldes de flan con una gelatina rosa adentro.

—¿Es gelatina? –quise saber.

—No, es bavaresa, es más esponjada que la gelatina y tiene crema.

Pierre sirvió bavaresas en dos platos y las cubrió con una salsa roja que tenía pedacitos de fresa y hasta arriba puso unos piñones, mientras decía:

Bavaresa de frambuesa,
con salsa de cereza
y trocitos de fresa,
adornada con piñón
cuando se tiene
una ilusión.

Yo no sabía muy bien qué pasaría con ese postre, pero nos lo empezamos a comer. Entre tanto, Pierre y la tía Oti iban y venían del comedor a la cocina, llevando ensaladas, platos del día, postres y cafés. La bavaresa era fría y esponjada y el sabor de la frambuesa me llenaba la boca. La salsa de cereza con trozos de fresa era dulce, pero no demasiado. Mientras me la comía sentía que no pasaba el tiempo, que no oía nada ni veía nada, que sólo podía saborear lo que me estaba comiendo. Rodrigo y yo terminamos el postre al mismo tiempo, pero él seguía chupándose con un dedo la salsa que le había quedado.

—Le voy a pedir unos regalos a Santa y otros a los Reyes Magos –dijo Rodrigo de repente– Santa tiene que cargar mucho y por eso luego no trae todo lo que le pides.

—Sí. Y vamos a hacer una posada con mis primos –dije.

—¿Cuándo ponemos el árbol?

—Vamos a decirle a mamá que lo compremos el sábado. El año pasado ni pusimos. Y también ponemos un nacimiento muy grande, con lago y patos y todo. Y mi abuelita va a venir a hacer el bacalao. Y vamos a hacer ponche y...

—¿Verdad que ya es Navidad, Isa?

En eso vi el reloj que estaba en la cocina, ¡eran cinco para las cuatro! Le di la mano a Rodrigo y les dije adiós a todos muy rápido.

—Adiós –contestó Pierre desde la puerta de la cocina cuando yo abría la puerta y sonaba la campanilla– ¿vienen mañana?

Ya ni le contesté, sólo le dije adiós otra vez con la mano y salimos rápido. Cruzamos corriendo la calle y nos metimos a la casa como chiflido.

—¡Ya viene Navidad, Isa! –volvió a decir Rodrigo mientras se iba brincando a su cuarto.

Yo sentía la misma felicidad que Rodrigo, pero entonces me di cuenta: la bavaresa era para sentir ilusión. Me asomé por la ventana. La gente salía del restaurante y todos iban sonrientes, todos parecían felices. Me daban ganas de cruzarme la calle rapidísimo para ir derechito con Pierre a preguntarle qué nos daba. El tendría que contestarme, no había de otra. No me tardaría, era cosa de ir y venir volando. Di unos pasos a la puerta y en eso, oí el ruido de una llave en la cerradura: llegaba mamá.

—Hola, *mijita* –me saludó mamá dándome un beso. Traía cargando una caja llena de papeles.

—¿Qué es eso, ma?

—¡Ay! Es que el jefe se va de vacaciones y tenemos que terminar todo para el lunes. Me traje algo de trabajo para hacer hoy aquí.

Esa tarde, Rodrigo y yo estuvimos secretamente contentos. Yo jugué con él mientras mamá terminaba su trabajo. Después nos bañamos y cenamos con ella. Al irme a dormir, ella seguía trabajando en la mesa del comedor.

A la mañana siguiente me desperté, como siempre, a las 6:45 en punto. Mamá viene todas las mañanas a darme un beso de buenos días, pero esa vez no vino y se me hizo raro que no hubiera ningún ruido en la casa. Fui a buscarla y estaba en su cama ronque y ronque.

—Mami... –le dije tocándole el hombro. Ella pegó un brinco.

—¿Qué hora es? –preguntó apuradísima y buscando su reloj– ¡Santo Dios! ¡Me quedé dormida! ¡Ni siquiera oí el despertador! Isa, vístete y ayúdame con tu hermano.

Mamá se metió al baño y yo fui con Rodrigo para ayudarle a escoger su ropa, aunque él ya tenía afuera su suéter de perro y su pantalón café que casi siempre se pone. Me vestí, acomodé las camas muy rápido y fui a hacer un licuado de plátano con huevo y miel. Me chocaba, pero en casos de prisa, dice Pau que es muy buen alimento, sólo era cosa de no pensar en el huevo crudo. En unos minutos, los tres estábamos en la cocina tomándonos el licuado.

En cuanto mamá terminó fue por su bolsa y sacó su monedero.

—Isa, te voy a dar dinero para que vayan a comer al restaurante de enfrente. No me dio tiempo de hacer la comida.

Rodrigo y yo nos miramos sonrientes. Él iba a decir algo, pero me adelanté.

—¿Y a qué hora vas a llegar, ma?

—Como siempre, espero. Se portan bien, comen con la boca cerrada, no pongan los codos en la mesa y no se les olvide decir por favor y gracias.

Rodrigo y yo contestábamos que sí o que no con la cabeza según tocara. Después nos lavamos los dientes y nos subimos al coche. Ese era un día de suerte.

Natilla de vainilla

CUANDO estábamos en fila en el patio, Pau se acercó a mí.

—Perdóname, Isa –dijo apenada– ayer me porté un poco tonta, ¿verdad?

—Tantito –le contesté.

Pau me dio un abrazo rápido y luego le platiqué todo lo que había pasado el día anterior con Pierre. Cuando le conté lo de Cristina, le dio tanto coraje que se puso roja.

—Si yo hubiera estado ahí te juro que le pico un ojo –dijo. Era bueno que Pau fuera mi amiga otra vez. Pero ese día ya no dijo nada más de Pierre y su comida ni yo tampoco.

Creo que nunca había visto tantas veces el reloj como ese viernes. Quería que las dos y media llegaran volando. Antes de preguntarle a Pierre cuál era el plato, la sopa y la ensalada del día, quería hablar con él. Ahora sí me iba a decir qué le ponía a la comida. Por fin sonó el timbre de las dos y veinte y me despedí rápido de Pau. Ese día no nos iba a dar aventón porque iba con su abuelita. En el kínder, Rodrigo me esperaba despierto, estaba pintando y nos fuimos lo más rápido que pudimos al restaurante.

Cuando llegamos, estaba tan lleno que había gente esperando afuera. Entramos y sonó la campanilla de la puerta. Inmediatamente salió Pierre a ver quién era. Tenía los cachetes rojos de tanto ir y venir. Al vernos sonrió y, sin decir nada, nos metió a la cocina. La tía Oti nos saludó mientras servía cuatro platos al mismo tiempo. Cirilo, con el ojo a medio cerrar, caminaba como sonámbulo llevando y trayendo charolas. Nunca lo habíamos visto caminar y me di cuenta de que el pobre tenía un paso medio raro, porque la cabeza se le hacía para adelante y para atrás, como gallina. Nosotros nos sentamos donde siempre.

—¿Qué van a pedir? –preguntó de pronto Pierre.

—De todo –le contesté– mamá no pudo hacer la comida y nos mandó a comer aquí.

—*Magnifique!* –dijo Pierre con boca de inflar globos– hoy tenemos una comida espléndida. La sopa del día es espagueti con salsa de espinaca, después tenemos un chilpachole de jaiba, acompañado con bocol de frijol y el postre del día, que siempre es una sorpresa.

—Pierre, ya cierra la trompita y dale de comer a esos niños, tienen hambre –dijo la tía Oti, mientras cargaba una charola con cinco platos hondos de barro, en los que se veía un guiso humeante.

Pierre nos guiñó un ojo y dio unos pasos de baile por la cocina. En un momento, se puso dos platos en el brazo y en cada uno sirvió espagueti. Cubrió la pasta con una salsa de color verde fuerte y después puso encima unos trozos muy delgaditos de carne seca. Luego se acercó a nosotros y me vio muy serio. Rodrigo lo miraba con cara de risa.

—¡La canción! —gritó Rodrigo riéndose.

—*Mais oui*, ya viene:

Espagueti con salsa de espinaca y albahaca,
salpicado con machaca de cola de vaca,
cuando se tiene una pregunta que
hace mucho chaca-chaca.

A Rodrigo le dio mucha risa lo del chaca-chaca y sentí otra vez los cachetes calientes como tortilla recién hecha: Pierre sabía que yo tenía una pregunta. Pero después de servirnos el espagueti fue al comedor de donde regresó con varias órdenes y se puso a prepararlas.

El espagueti estaba sabroso, la machaca de cola de vaca le daba un saborcito salado muy bueno y la salsa de espinaca con albahaca sabía riquísima. En cuanto terminé, no se me habían quitado las ganas de hacerle preguntas, al contrario, sentía tantas ganas de pararme a media cocina y jalarle los cachetes para que me contestara, que no sé ni cómo me aguanté. En cuanto se dio cuenta que terminamos, Pierre recogió nuestros platos y bajó dos pequeños tazones de barro de un anaquel. Después se acercó a la estufa y quitó la tapadera de una inmensa olla de barro y se acercó a oler lo que había adentro.

—*Ahhh! Mmmmh!* El chilpachole. ¿Quién quiere olerlo?

—¡Yo! –gritó Rodrigo, se bajó de la silla y corrió hasta donde estaba Pierre.

Pierre lo cargó y lo acercó a la olla. Rodrigo hizo la cabeza para atrás, porque el chilpachole estaba muy caliente. Luego miró a Pierre.

—¿Qué son esos? –preguntó Rodrigo.

—Jaibas –contestó Pierre.

—Cacaguácala.

—Ningún *cacaguácala*. Saben buenas.

—¿Pica?

—No mucho –respondió Pierre y luego me preguntó– ¿tú no lo quieres oler?

Me acerqué a la olla. Adentro había un guiso rojo y caldoso donde flotaban un montón de jaibas. Olía rico, a chile y a mar. Rodrigo y yo nos sentamos mientras Pierre nos servía el chilpachole en los tazones de barro. En otro plato nos puso unas gorditas ovaladas de masa frita, rellenas de frijol con queso, también nos dio guacamole, unas pinzas para partir la jaiba y muchos limones.

—Esperen a que se enfríe –dijo cuando nos puso los platos enfrente– el chilpachole está muy caliente.

Rodrigo miraba su plato un poco serio. El olor a chile salía por todos lados y además, de los pedacitos que flotaban en el chilpachole, había una jaiba entera nadando enmedio. En la casa nunca habíamos probado algo así y como que no le hacía mucha gracia.

—Este es un chilpachole especial porque tiene un ingrediente secretísimo y también tiene su rima –dijo Pierre y cantó mientras hacía un paso de baile en el centro de la cocina.

Chilpachole con pinole
y tantito guacamole,
porque comer debe ser
todo un placer.

—¿En serio tiene pinole? –pregunté.

—*Oui, oui,* lo que cabe en la punta de una pinza de jaiba.

—¿Y estos qué son? –dijo Rodrigo tomando una gordita con frijoles.

—¡Ah! Son bocoles. Cuando era chico me encantaban, me los hacía mi abuelita Fide, que vivía en Jalapa. ¿Saben qué cosa? Mi abuelita no tenía estufa de gas, tenía un brasero que se prendía con carbón. Ahí ponía su comal y hacía bocoles conmigo y me dejaba comerme la masa cruda. ¿Conocen Jalapa?

Los dos respondimos que no con la cabeza.

—Bueno, pues en Jalapa llueve mucho. Casi todo el año está nublado y cae una llovizna finita todo el tiempo. Por eso mi abuelita inventó una rima para los bocoles, que dice así:

Bocol de frijol
con girasol
y un poco de col,
para los días
que no sale el sol.

—¿A poco tienen girasoles? –pregunté.

—En la masa hay que poner tres semillas de girasol molidas y los frijoles se cocinan con un pedacito de hoja de col –contestó Pierre.

—Ándale Pierre, menos plática y más trabajo –dijo de pronto la tía Oti, que apenas se daba abasto preparando los bocoles y sirviendo los platos de chilpachole, con todo y que Cirilo la estaba ayudando. Pobre Cirilo, el olor del chilpachole lo despertaba un poco, porque cuando lo servía abría mucho los ojos, pero los bocoles lo adormilaban, pues mientras los volteaba en el aceite hirviendo, cabeceaba.

Exprimí un limón en mi plato de chilpachole y otro en el de Rodrigo, luego le di una probadita. Ya no estaba tan caliente y se podía comer muy bien. Cuando Rodrigo vio que yo lo probé, él también lo hizo. Picaba un poco, aunque más que picor, con cada cucharada yo sentía un calor muy sabroso que se resbalaba por mi garganta y me calentaba toda. Los trozos de jaiba eran suavecitos y sabían a mar, pero poquito. Se sentía tan bien cada cucharada y olía tan rico, que yo creí que ya no veía ni oía, el sabor me atrapaba de tal manera que no podía distraerme. Cuando me lo terminé volví a la realidad, miré a Rodrigo y él también le daba las últimas cucharadas a su chilpachole. Sólo quedaban las jaibas enteras en el fondo de nuestros platos.

—¿Y el cangrejo? –me preguntó cuando terminó.

—Es jaiba. Creo que se rompe con pinzas –le dije.

Tomé las pinzas que nos dieron e intenté romper la mía, pero no es nada fácil porque las jaibas son muy duras. Me estaba costando mucho trabajo. Entonces se acercó Cirilo con su caminar gallinezco, tomó la pinza, le dio un apachurrón a las jaibas en un lugar que él sabía y ¡ploc! se abrieron en cuatro y muy fácil pudimos sacar toda la carne con una cuchara. Rodrigo ya se había comido tres bocoles antes del chilpachole, pero todavía le cupieron otros tres, y a mí también. Los untamos con un poco de guacamole. Creo que nunca había probado algo tan rico. En ese momento, Pierre se sentó junto a nosotros. También estaba comiendo un bocol.

—Tú tienes una pregunta que me quieres hacer, aunque no sé qué es –me dijo viéndome muy serio a los ojos.

Yo me quedé muda. Tanto que pensé que le iba a preguntar esto y aquello, y ahora no sabía cómo decirlo.

—¿Qué es? –insistió Pierre, dándole otra mordida a su bocol.

—Es que... –empecé a decir– quiero saber... si le pones algo a la comida.

Pierre soltó una carcajada.

—¿Algo como qué? ¿Ajo, cebollas, jitomate, perejil? Sí, de eso le pongo mucho.

—No, no. *Algo*. Tú sabes... –respondí sin atreverme a decir "polvos" o "pociones" o algo así. Él me miró serio.

—Ahhh... tú crees que le pongo *algo* –dijo haciendo cara de que me entendía.

—Sí...

—Pues no. No le pongo *algo* –alzando las cejas y meneando la cabeza.

No supe qué decir. La verdad sí esperaba que me dijera que le ponía *algo*. Pero Pierre no dejaba de mirarme a los ojos con curiosidad.

—Es que... cuando como aquí, me siento diferente –le dije– hace mucho tiempo que no me sentía tan contenta y estos días... me siento diferente. Y Rodrigo también. Además, he visto cosas, como lo que pasó con la señora esa... Virtudes, la que chocó.

—*Ahhhh!* Conque es eso. Y tú pensabas que la comida tiene *algo*.

—Pues sí... pienso que ustedes son como medio brujos.

Pierre soltó otra carcajada tan fuerte que tía Oti y Cirilo voltearon a vernos.

—*Mais non!* No somos brujos –dijo al fin– la comida tiene su propia magia, lo que hace el cocinero es poner los ingredientes juntos y *voilà!*, la magia sucede.

—Pero ¿cómo pasa?, ¿cómo sabes lo que la gente siente?

—¡Ah! ¡Eso es otra cosa! Mi papá siempre decía que en los ojos de una persona se ve el corazón. Pero tienes que ver a los ojos con verdaderas ganas de ver el corazón. Y entonces lo ves. Ahí está. He visto tantos corazones en tantos ojos y en unos mismos ojos, muchos corazones, porque si estás contento, tienes un corazón y si estás enojado, tienes otro.

Yo lo miraba muy seria. Ya casi cerraba los ojos para que no viera mi corazón.

—Un día, tú llegaste sintiendo un gusanito. Yo lo supe luego luego, eso se ve muy rápido. A veces se sienten por preocupación, por nervios o porque estás enamorado. Y los gusanitos siempre se ven en los ojos, porque aparece como una manchita en el ojo derecho.

—¿Qué más ves en los ojos?

—*Oh, la la!* En los ojos se ve todo. Por ejemplo, cuando eres feliz, tus ojos brillan desde el centro. Cuando estás enojado, no los abres bien, entonces los tienes medio apachurrados. Cuando te gusta molestar, como a esa niña Cristina, se te ve una gota oscura en la parte de abajo del iris. Si estás tranquilo y no tienes preocupaciones, tus ojos están limpios; pero cuando algo te preocupa día y noche, se ven empañados, como un vidrio sucio.

—¿Y las rimas? Siempre siento lo que dices en tus rimas.

Pierre se volvió a reír con muchas ganas.

—¡Funcionan!, ¿verdad? Eso de las rimas es muy viejo, toda la familia de mi mamá lo hace desde el tiempo de mi tatarabuela. Cuando alguien estaba triste o enfermo, ella preparaba cualquier cosa y decía una rima que venía al caso. A veces se mezclan ingredientes muy raros con tal de encontrar la rima, como el hueso de chirimoya en la sopa de cebolla, o la semilla de girasol en la masa del bocol. Mi mamá ha inventado no sé cuántas rimas y la tía Oti no se queda atrás. Y no me preguntes cómo, pero funciona, toda mi vida lo he visto.

—A lo mejor es una magia de tu familia –dije.

—*Ah, oui, oui...* puede ser, aunque yo creo que es la magia del cocinero, que siempre piensa cuánto va a disfrutar el que se coma lo que preparó.

—Es que esto no pasa con la comida normal. Mi amiga Pau, por ejemplo, no me cree...

Justo en ese momento, se oyó la campanilla de la puerta. Y como si alguien le hubiera bajado el volumen a un radio, las risas, los ruidos y las voces que se oían en el comedor, se callaron de pronto. La tía Oti miró a Pierre muy extrañada y de inmediato fue hacia el comedor. En un instante regresó y junto a ella venía nada menos que Pau. Se notaba que había estado llorando, porque tenía la cara roja y los ojos y la nariz bien hinchados. Entró un poco tímida a la cocina y nos miró seria, con una cara muy triste.

—Pau... –le dije acercándome a ella. De pronto me abrazó y se puso a llorar con unos sollozos que la hacían temblar.

—¡Se murió el *Pambazo*! –lloró más fuerte– se salió a la calle y lo atropelló un coche.

Pambazo era su perro beagle y en su casa era como un hijo y un hermano más, hasta se lo llevaban a sus vacaciones. Tenía un año más que ella, que en edades de perro eran chorros de años.

—Estaba mal de una pata –contó entre un sollozo y otro– y no podía correr bien. Además, era perro de casa, no sabía cruzar las calles. Se le escapó a mi papá.

—¿Y lo llevaron al doctor?

—Mi papá le habló al veterinario y luego a nosotros a casa de mi abuelita. Ni comimos. Cuando llegamos, ahí estaba el doctor, pero nos dijo que no había nada que hacer. Y se murió.

Pau lloraba con una tristeza horrible. Y yo que soy de moco fácil, sentí un nudo gordo en la garganta y también me puse a llorar. Entonces vino Rodrigo a abrazarme y aunque ni conocía al *Pambazo,* todos a llorar. Hasta la tía Oti sacó su pañuelo de la manga y se sonó. Sólo Cirilo y Pierre se miraban serios.

Entonces Pierre sacó del refrigerador cuatro copas chaparras para postre. En ellas había algo

cremoso de color amarillo. Cirilo, mientras tanto, cortó unas peras amarillas y rápidamente las echó en una sartén que tenía mantequilla y azúcar. Las frió y puso los pedazos en cada una de las copas como si fueran los pétalos de una flor, al final puso una cucharita y Pierre espolvoreó un poco de canela sobre ellas, mientras decía:

> *Natilla de vainilla*
> *con pera mantequilla*
> *y un poco de canela,*
> *así la pena vuela.*

Después se fue hacia el comedor. Todos vimos las copas y nos quedamos inmóviles, menos Rodrigo que se subió a su silla corriendo.

—¡Postre! –gritó, olvidándose de la tristeza.

—¿Quieres natilla? –le preguntó la tía Oti a Pau.

—No, gracias. Ahorita no –contestó Pau, sentándose en una silla.

Yo me senté en otra. Rodrigo empezó a comerse su natilla con prisa y, al hacerlo se reía. Me di cuenta que Pau lo miraba seria. Entonces yo también quise comerme mi natilla. Y luego la tía Oti. Si algún día veo a alguien triste, luego luego lo llevaré a comer la natilla de Pierre Quintonil, pues con cada cucharada sentía unas cosquillas que me hacían reír. Unas eran muy quedito, pero otras eran más fuertes y soltaba la risa de repente. Pau nos miraba y no sabía qué hacer, pero pronto se decidió: probó la natilla. Todavía tenía lágrimas en los ojos, pero aun así empezó a reírse. Cuando nos terminamos el postre, los cuatro estabamos riéndonos como si nos hubieran contado el mejor chiste del mundo. Pau suspiró de pronto y ya no se reía pero tampoco lloraba.

—Voy a extrañar al *Pambazo* –dijo con voz triste.

—Sí. Era buena onda, no ladraba mucho –dije yo.

—Esta Navidad iba a cumplir doce años –suspiró–. Yo quería que viviera más.

—Eso no se puede escoger –dijo la tía Oti.

Pau y yo nos miramos. Eso era cierto. Las dos suspiramos. Aunque se habían acabado las risas, no sentíamos tristeza. En ese momento entró Pierre a la cocina.

—¿Qué tal la natilla? –le preguntó a Pau.

Pau se puso un poco roja y se rió otra vez.

—Muy buena. ¿Me puedo llevar una para mi mamá y dos para mis hermanos?

—Claro que sí, ¿y para tu papá?

Pau se puso seria.

—Él lo dejó salir –dijo torciendo la boca– pero bueno, fue un accidente. Supongo. Y también se veía triste... sí, otra para mi papá.

Pierre y Cirilo prepararon doce natillas para las personas que estaban en el comedor mientras la tía Oti servía tazas de café.

—¡Quiero otra natilla! –dijo Rodrigo.

—¡Se dice por favor! –le recordé.

—¡Por favor! ¡Sin pera!

—¡Sale otra natilla! –dijo Pierre, poniéndosela enfrente–. Y en un momento pongo las que son para llevar, porque ya son las cuatro de la tarde.

Miré el reloj y pegué un brinco. Ese día ni siquiera me había acordado de la hora, pero me sentía muy contenta y pensé que no teníamos razón para salir corriendo como conejos. Pierre llevó la charola con natillas al comedor. Pau trataba de sacar con la cuchara lo que quedaba de natilla en el fondo de la copa; pero la cuchara no entraba, así que metió el dedo y luego se lo chupó.

—Tenías razón –me dijo muy quedito– con esta comida te sientes contento.

—¿Verdad? –le respondí, igual de quedito.

Pierre regresó a la cocina y sirvió las natillas de Pau en unas copas de plástico que luego metió en una cajita.

—*Voilà!* Sus natillas, *mademoiselle.*

—Pierre, mi mamá me dijo que te pagara y...

—*No, no, no, no* –me dijo Pierre con la más pura boca de chiflido– ustedes son *mes invités* y esta vez no lo voy a permitir.

—Pero mi mamá se va a atacar.

—Que se ataque.

Rodrigo y yo nos miramos y nos atacamos, pero de risa. Pau y la tía Oti también se rieron. De pronto todos nos callamos, porque oímos un sollocito que venía de algún lugar en la cocina. Todos buscamos el sollozo y atrás de un mueble encontramos a Cirilo, comiéndose una natilla y llorando quedito. Al verlo, Pierre soltó una carcajada.

—*C'est pas vrai!* –dijo–. Este muchacho es un caso perdido. Las rimas le hacen el efecto contrario.

Pobre Cirilo, se veía tan triste, pero sin poderlo evitar, todos volvimos a reírnos. Así salimos de la cocina hacia el comedor, sin embargo, ahí la cosa estaba de lo más divertida, porque todos habían pedido postre y se carcajeaban como vacas locas. Las señoras lloraban de risa y tenían el rímel corrido.

—Tienen ojos de oso panda –dijo Pau– y nos doblamos de risa. A mí ya me dolía la panza y Pau casi se hace pipí.

—Mañana voy a ir al mercado a las nueve, ¿quieren venir conmigo? –preguntó Pierre.

—¡Sí! –gritó Rodrigo.

—Pídanle permiso a su mamá.

—Sí –dije yo que con tanto *jijiji* ya no podía ni pensar.

—Paso por ustedes a las nueve en punto.

Los tres salimos del restaurante muy contentos. Ya eran las cuatro y cuarto. Pau se despidió de nosotros, porque ya quería llevarle las natillas a su familia. Nos cruzamos y cuando entramos a la casa, nos dimos cuenta de que mamá no había llegado.

—¿Mañana vamos a ir por el arbolito? –preguntó Rodrigo.

—Sí –le respondí– y pondremos el nacimiento.

—¿Vamos a ir por el arbolito con Pierre?

—No, Rodrigo, ¿cómo crees? Vamos a ir con mamá. Pero ni le hemos dicho; hay que decirle.

—Entonces, ¿a qué vamos al mercado con Pierre?

¡El mercado! Pierre iba a venir por nosotros a las nueve y mamá ni sabía. Y lo más seguro era que no nos dejara ir. En eso, oímos que la llave entraba en la cerradura.

—¡Rodrigo! –dije con mucha ansia– ¡No le digas nada a mamá del mercado! ¡Luego yo le pido permiso!

Rodrigo dijo que sí con la cabeza, en el momento en que mamá entró a la casa. Tenía unas ojeras que me recordaron lo del oso panda, pero no me dio risa. Nos saludó con un beso.

—¡Mamá! –le dijo Rodrigo todo emocionado– ¿Mañana vamos a ir por el arbolito?

—¿Cuál arbolito? –preguntó mamá.

—¡El de Navidad!

Mamá lo miró extrañada y meneó la cabeza.

—No sé si pongamos árbol –le contestó un poco seria.

Rodrigo le devolvió una mirada de decepción.

—¡Pero es Navidad!

—Ya lo sé, Rodri, pero no sé si pongamos árbol.

—¿Por qué? –le pregunté.

Mamá suspiró fuerte y nos miró a los dos mientras se quitaba los tacones.

—Miren, ahorita estoy muy cansada. Vamos a ver la tele un rato. Mañana vemos lo del árbol, ¿sí?

Pero Rodrigo ya se había emberrinchinado y la miró enojado.

—¡No! –dijo– ¡Yo no voy a ver la tele contigo! ¡Quiero ir con Pierre!

Mamá volteó a verme enojada, como si yo supiera un secreto que ella no sabía.

— ¡Ah! ¡Conque es eso! ¡Bonita influencia, ese tal Pierre! Seguro él les metió en la cabeza lo del arbolito, ¿verdad?

—No, ma –le respondí– es que teníamos ilusión del arbolito. Antes siempre poníamos.

—¡Antes! Antes era antes y ahora han cambiado muchas cosas. No voy a poner árbol y no quiero saber nada de ese tal... Pierre.

Rodrigo empezó a llorar y se fue corriendo a su cuarto. Mamá lo siguió con la vista y se puso una mano en la frente, se veía muy triste. Le toqué el brazo y ella me miró a los ojos. En ese momento me acordé de lo que decía Pierre, que en los ojos se ve el corazón de una persona y me fijé muy bien en los de mamá. Estaban opacos, empañados, no brillaban desde el centro ni se veían limpios. Estaba triste y no se sentía tranquila. Mamá puso su mano en la mía y me sonrió con la boca, pero sus ojos no sonrieron.

—Voy a acostarme un ratito. Después hablo con Rodrigo –me dijo.

Mamá subió y yo me senté en la escalera. Pensé en la natilla de vainilla, pero ya sabía que la tristeza de mamá estaba más allá de eso. Lo sabía porque yo también la sentía a veces. Ahí enfrente de mí, estaba colgado su retrato de boda. Me levanté y miré en el retrato los ojos mis papás. Qué diferentes ojos tenía ahí mi mamá. Se reían, tenían luz, brillaban. Si pudieran, hasta hubieran cantado. Y los de mi papá se veían igual. Entonces, me puse a ver más fotos de vacaciones, de fiestas, y me di cuenta de que, aunque sus ojos no parecían querer cantar, como en su foto de novia, se veían brillantes y limpios. Y entonces vi la foto que le tomó papá cuando yo acababa de nacer. Yo siempre le dije a mamá que la guardara y no la dejara en la sala, porque de recién nacida yo era un bulto hinchado y feo, pero nunca la quiso mover de ahí. En la foto me está cargando en su pecho. Y ahí sí, sus ojos eran distintos. En ellos se veía una felicidad que venía de muy adentro. Me dio tanta curiosidad que decidí ver todas las fotos que tenía de cuando ya habíamos nacido nosotros y en cada una los ojos se le veían igual. Pierre tenía razón, en unos mismos ojos pueden verse muchos corazones.

El árbol de Navidad

SE oía poco ruido en la casa. Después de ver muchas fotos subí a mi cuarto. Cuando pasé por el cuarto de Rodri, vi que mamá estaba con él. Yo me había puesto ansiosa por lo del mercado. Si en ese momento me viera Pierre, se daría cuenta de que yo no tenía un gusanito dentro sino una boa. Pedirle permiso a mamá sería una locura, pero si Pierre pasaba por nosotros a las nueve, a mamá le daba un zupiritaco con triple salto mortal. ¿Cómo le avisaría a Pierre que no podíamos ir?

Entonces se me ocurrió una idea. La ventana de mi cuarto quedaba justo sobre la puerta que daba a la calle, así que en un papel escribiría una nota para Pierre explicándole cómo estaba la cosa, la enrollaría y la dejaría colgando de un hilo desde mi ventana. Cuando él llegara a las nueve, vería el papel justo enfrente y a fuerza tendría que abrirlo. Digo, sería obvio que era para él. Hice la nota y saqué un hilo de coser, pero estaba muy delgado. Anduve por toda la casa buscando un cordel grueso que mamá había comprado para amarrar unas cajas, hasta que por fin lo encontré en la despensa. Abrí mi ventana y dejé caer suficiente cordel como para que llegara a la puerta, medí un poco más para amarrar la carta y lo corté. Listo.

En eso sonó el teléfono y mamá contestó, la oí hablar unos minutos. Con la solución de la nota amarrada al cordel, la boa había enflacado bastante y ya nada más quedaba una lombriz de tierra. La colgaría en la mañana, porque si la dejaba toda la noche no faltaría algún curioso que pasara y la arrancara. En eso mamá entró al cuarto. Yo estaba amarrando la nota al cordel y la escondí rápido debajo de mis piernas.

—Isa, mañana tengo que ir a trabajar un rato –me dijo– sólo nos falta terminar algo urgente y ya.

—Sí, ma –le contesté pensando que si ella no estaba, podríamos ir al mercado con Pierre.

—Me siento mal; no me gusta dejarlos en sábado –dijo mamá.

—No importa –dije, y luego luego sentí que la boa regresaba.

—Ya hablé con Rodrigo. Le dije que mañana platicábamos lo del arbolito.

—¿Crees que sí?

—Puede ser.

—¡Qué padre! Oye ma, ten tu dinero –le di el dinero que todavía traía en la bolsa del pantalón—. Pierre nos invitó la comida.

—Pero Isa, yo te dije...

—No quiso que le pagáramos por nada del mundo, dijo que éramos... sus *invités,* o algo así, y que por favor no insistiera.

—Bueno, ya ni modo. De todas formas, no quiero que vuelvan.

Aunque sentí mucho calor en la panza cuando mamá dijo eso, de todas formas me atreví a decirle:

—Oye ma, mañana en la mañana tengo que ir a comprar unos mapas a la papelería que está por la escuela.

—Los hubieras comprado hoy, Isa.

—Se me olvidó. Por fa ¿mañana puedo ir con Rodri?

—Vamos cuando llegue.

—¿A qué hora vas llegar?

—Como a las 12, creo.

—A esa hora cierra la pape. Voy rápido con Rodri, todos los días vamos por ese camino.

Mamá torció la boca. Nunca me había dado cuenta de que ella también la sabía torcer.

—Bueno, pero no te tardes nada y le das la mano a Rodrigo.

—Sí.

¡Cómo es uno loco! Con eso ya me sentía contenta: teníamos permiso de mamá para salir de la casa. El mercado quedaba dos cuadras más allá de la papelería, así que no había mucha diferencia entre ir a la pape y al mercado. La única diferencia era que íbamos a ir con Pierre. Y, además, la verdad es que necesitaba los mapas, aunque eran para una tarea que nos iban a dejar en vacaciones.

Al día siguiente, mamá se fue a las ocho y media. A las nueve en punto, Pierre tocó el timbre. A Rodrigo se le había olvidado lo del mercado, pero cuando le dije que era Pierre y que nos íbamos con él, se puso feliz.

—¿Les dieron permiso? –preguntó apenas abrimos la puerta.

—Sí –contesté– pero tenemos que llegar a las once y media.

Pierre tenía un cochecito del año del caldo. Nos subimos y diez minutos después llegamos al mercado. Hacía años que yo no iba. Antes, papá nos llevaba los domingos a comprar chicharrón y mamá hacía sus compras de fruta y verdura, pero últimamente nada más íbamos al súper.

Pierre bajó una canasta gigante que traía en la cajuela.

—Esta es buena hora para venir al mercado –dijo.

—¿Vienes todos los sábados?

—Sin falta. Y también recojo pedidos los martes y los jueves. Ya conozco a mis marchantes y busco las cosas de temporada, siempre son las más frescas. Hoy compraré lo del ponche y voy a ver qué se me ocurre para preparar el totol de Navidad.

—¿El totol? –preguntó Rodrigo con risa.

—*Oui*, el totol. Así se le dice al guajolote, al pavo.

—Mi mamá no hace pavo, hace bacalao –dije– bueno, lo hace mi abuelita, porque a mi mamá no le queda muy bueno.

—¿A tu mamá no le gusta cocinar?

—Mmm... sí le gusta, pero las cosas no le quedan muy buenas. Bueno, hay unas que le quedan mejor que otras.

—Es por la sazón. La sazón es muy importante. Se prueba con la lengua, se huele con la nariz, se saborea con los ojos. Hay veces que nada más de oler un guisado sé si le falta sal o con ver una masa sé si el pastel esponjará o no.

Pierre se detuvo de pronto porque llegamos al local de su amigo José, a quien saludó con un abrazo. Después tomó una lima, la olió, cerró los ojos y se puso a respirar con muchas ganas, como si aspirara el aire puro de un bosque.

—Ahhh... este olor, ¿lo huelen? Huele a jícama y a tejocote...

Yo respiré hondo, igual que Pierre, pero además del típico olor de mercado, no me olía a nada más.

—Huele a caña, piloncillo, colación, té limón, naranja, lima, mandarina, chirimoya, zapote, mamey, tamarindo, clavo, gengibre, canela, musgo, heno, piñata... huele a Navidad –Pierre dijo todo esto con los ojos cerrados, como olfateando cada uno de los aromas que le llegaban del mercado.

Entonces, abrió los ojos y empezó a pelar la lima. Su perfume saltaba por todos lados, desde la cáscara, que al desprenderse le mojaba la mano con gotas olorosas, hasta sus gajos jugosos. Nos dio un gajo a cada uno y se comió otro despacito, saboreándolo.

—Me encanta la lima. Su sabor es sutil, suave. Es tantito dulce y también tantito amargo. Y su perfume, no hay nada igual, ¿saben qué me recuerda? Un árbol de limas que había en mi casa cuando yo era chico. Cuando floreaba llegaban cientos de abejas.

Pierre se comió el resto de la lima. Entonces, vi las guayabas y toqué una. Estaba muy dura. Toqué otra y estaba blandita. La olí. También tenía su perfume.

—¡Pruébala! –dijo Pierre sonriente–, y dime a qué te sabe.

Limpié la guayaba con mi suéter y la mordí. Después le di otra mordida y luego otra más...

—Es dulce y también tantito ácida... su cáscara se siente un poquito rasposa y sus semillas se atoran en mis dientes –dije, sintiendo mis cachetes como ponche caliente– y me recuerda a mi papá, porque le gustaban mucho las guayabas.

Pierre me sonrió. En eso, los dos pegamos un brinco porque nos dimos cuenta de que Rodrigo no estaba ahí.

—¡Rodrigo! ¡RODRIGO! –grité.

—Aquí estoy –se oyó su voz desde abajo del puesto. Me agaché y lo vi sentado en un huacal, comiendo cacahuates.

—¡Están ricos! –dijo.

Pierre compró todo lo que lleva el ponche: guayabas, tejocotes, pasitas, té limón, caña, ciruelas pasas, tamarindo y jamaica. Además compró otras muchas cosas y puso todo en la canasta. Rodrigo y yo veíamos las piñatas. Aunque la mayoría eran de picos, había santacloses y árboles de navidad.

Al final, con un enorme cargamento que Rodrigo y yo le ayudamos a llevar, regresamos al coche. Muchos puestos tenían cosas para el nacimiento: animales, pastores, ángeles, niños Dios, pozos, puentes, cabello de ángel y espejos para hacer lagos. Rodrigo estaba encantado y quería todo. Pierre compró unos farolitos y unas canastas de posada.

—Cada temporada tiene su gracia –dijo de pronto Pierre, resoplando por el peso de la canasta–. En tiempo de aguas, lo más rico son los hongos silvestres. Crecen en el monte cuando llueve y hay que saber cuáles son buenos y cuáles son venenosos. Cuando era chico fui a Francia varias veces y mi abuela nos llevaba a la montaña y nos enseñaba a escoger los hongos. *Ooh, la la! Magnifique!*

—A mí me gusta la Navidad –dije.

—A mí también –dijo Pierre.

Cuando llegamos al coche vimos que, en la banqueta, un señor había acomodado varias canastas con chapulines secos de todos tamaños. Rodrigo y yo miramos los chapulines con una mezcla de curiosidad y asco.

—Voy a llevar medio kilo de chapulines chicos –dijo Pierre muy sonriente–. Se me ocurren unos tamales que pueden quedar muy buenos.

Cuando subimos al coche, ya eran más de las once y empezaba a sentirme nerviosa. Le pedí a Pierre que nos dejara en la papelería, de ahí nos regresaríamos caminando. Me miró un poco serio, pero yo no lo vi a los ojos, no quería que supiera lo que sentía.

Después de comprar mis mapas, Rodrigo y yo regresamos a la casa.

En el camino tuve que decirle otra vez que la visita al mercado era un secreto entre nosotros y yo sentía que la boa daba vueltas dentro de mí. Mamá llegó un rato después y se veía muy contenta.

—¡Sólo una semana más de trabajo y ya! ¡Vacaciones! –nos dijo.

—¿Vamos a ir por el árbol? –le preguntó Rodrigo.

Mamá sonrió y dijo que sí con la cabeza. Rodrigo aplaudió.

—Bueno, de una vez vamos al mercado a comprarlo –dijo mamá.

Rodrigo volteó a verme con cara de sorpresa. Yo me puse un dedo en la boca y le hice ojos de que se callara. Pobre Rodrigo, quién sabe cuánto tiempo más podría aguantar tantos secretos.

Nos subimos al coche y otra vez fuimos al mercado. En la calle había varios puestos con árboles de varios tamaños, desde unos chiquitos que me llegaban a la rodilla hasta unos gigantes que no iban a caber en la casa. Había unos abiertos y otros todavía amarrados; mamá pidió que desamarraran tres para escoger el más fresco. También compramos musgo y heno para poner el nacimiento y Rodrigo quiso seis borregos, ocho truchas, cuatro ranas, un espejo y mucho cabello de ángel para hacer un río y un lago.

Cuando llegamos a la casa eran casi las dos. Comimos rápido y luego nos dedicamos a poner el árbol y el nacimiento. Tuvimos que bajar las cajas que estaban en la parte de arriba de un clóset. Revisamos las luces y todavía servían, así que entre mamá y yo las pusimos en el árbol. Rodrigo estaba impaciente por colgar las esferas. Al final, entre todos colgamos los adornos. Algunos ya estaban bastante apachurrados, pero mamá los limpió y trató de pararles los moños aplastados. De pronto sacó una cajita de cartón amarillento que se veía más vieja que las demás. Adentro había cinco esferas diminutas, con unas formas muy especiales. Unas eran como gotas picudas y otras redondas, con muchos dibujos que ya no se veían muy bien porque la pintura estaba descarapelada.

—Estas eran de mi abuelita –dijo mamá– vamos a ponerlas hasta arriba con mucho cuidado, porque son más viejas que nada.

Mamá me dio dos, ella colocó otras dos y luego cargó a Rodrigo para que pusiera la última. Luego sacó otra cajita con unos adornos de plástico. Eran unas estrellas con forma de copo de nieve.

—Estas son de cuando yo era chica. Me las regaló mi mamá.

Mamá también sacó un oso de papel terciopelo que tenía una nochebuena en la cabeza. El pobre oso ya se veía bastante maltratado, pero mamá trataba de parar las hojas de la nochebuena; lo miró con cariño y le dio un beso.

—Este me lo regaló su papá en la primera Navidad que estuvimos juntos.

Mamá nos miró y me di cuenta que sus ojos estaban llenos de lágrimas. Entonces nos abrazó y lloró quedito, pero le resbalaban muchas lágrimas. Creo que somos una familia de moco fácil, porque en dos segundos Rodrigo y yo también llorábamos, aunque no tan quedito como ella.

—Extraño a su papá. Lo extraño mucho –dijo mamá, aunque casi no podía hablar.

—Yo también.

—Y yo –dijo Rodrigo, aunque nunca he sabido muy bien si se acordaba de él o no.

Estuvimos abrazados un rato, mientras mamá nos acariciaba la cabeza. Después suspiró y se levantó para colgar el oso de terciopelo. Rodrigo y yo colgamos los adornos que quedaban y al final, nos sentamos en un sillón a admirar nuestro arbolito.

—Dice mi mamá que los árboles de Navidad son como árboles de la vida, porque pones en ellos adornos que han estado contigo toda la vida y te traen recuerdos –nos contó mamá.

Admiramos el árbol sólo un minuto más porque en ese momento, Rodrigo quería poner el nacimiento, con todos los animales. El resto de la tarde estuvimos muy contentos. Cuando mamá fue a darme un beso a la hora de acostarme, miré sus ojos con atención y noté algo diferente: ya no estaban empañados, como el día anterior, se veían luminosos, brillantes... limpios. Entonces descubrí algo que tendría que contarle a Pierre: las lágrimas limpian los ojos y también el corazón.

Quedaba una semana de clases antes de salir de vacaciones. En la escuela ya no hacíamos casi nada: una parte del día cantábamos villancicos en español, después cantábamos villancicos en inglés y las horas que quedaban, pintábamos los escenarios de la pastorela, que se iba a presentar el miércoles. Pau y yo saldríamos de ángeles. Esos días fueron muy alocados, salimos tarde lunes y martes porque nos quedamos al ensayo de la pastorela, y el miércoles comimos en casa de Pau, y luego nos disfrazamos y su mamá nos llevó a la escuela, donde nos alcanzó mi mamá. Después de la pastorela, hubo una posada.

En todo ese tiempo me acordé mucho de Pierre. Mientras estábamos en la posada comiendo una bolsa de chicharrones con chile, le conté a Pau lo que Pierre decía de los ojos y el corazón.

—Yo creo que es cierto –dijo Pau– cuando estoy enojada y me veo en el espejo, mis ojos se ven raros, como que no los puedo abrir bien.

En eso, llegó la mamá de Pau platicando con otra señora.

—Dame la receta del budín de camote –dijo la mamá de Pau– te queda buenísimo.

—¡Ay! Es fácil: rebanas una baguette, un camote hervido y dos manzanas crudas; en un molde vas poniendo una rebanada de cada cosa hasta que se acabe todo, y al final le pones azúcar y mantequilla al gusto.

La mamá de Pau tomaba nota. Yo pensé en la palabra budín. Budín, budín... ¡budín de chapulín! Le dije adiós a Pau y fui a buscar a mamá, que estaba con Rodrigo en la tómbola. Por suerte ya querían irse, así que salimos de la escuela y caminamos al coche.

—Mamá, ¿todos los budines son con pan?

—Mmm... no sé, Isa. Yo casi no hago budines.

—¿Qué cosa de comida rima con chapulín?

—¿Con chapulín? Mmm... ¿capulín?

—¿Chapulín con capulín? ¡Bien, mamá!

En el camino, Rodrigo se quedó dormido en el coche, así que al llegar a casa, mamá lo bajó y lo llevó hasta su cama. Yo me fui derechito a la cocina, donde estaban los pocos libros de cocina de mamá. Ahí vi que el budín no sólo se hace con pan, también se puede hacer una masa que se cuece a baño maría en una budinera. Me fui a acostar sintiendo un gusanito bastante nervioso

dentro de mí. Tenía una buena idea y al día siguiente la platicaría con Pierre.

Budín de chapulín

AL día siguiente, cuando llegamos de la escuela, vimos que el restaurante de Pierre otra vez estaba abarrotado, había mucha gente afuera esperando para entrar. Rodrigo quiso saber si podíamos ir a tomar el postre con Pierre y yo le dije que sí.

Después de comer el entomatado de pollo, el arroz y la zanahoria rayada que nos dejó mamá, fuimos con Pierre. La escalera seguía llena de gente y nos dimos cuenta al entrar que el comedor estaba igual. En una de las mesas estaba Virtudes con su marido Jaime. Al fondo, Pierre había puesto un pequeño arbolito de Navidad y un nacimiento, y por todo el techo colgó los faroles de posada. En la barra, junto a la caja, tenía las canastas de posada llenas de cacahuate y colación y se las daba a los clientes cuando se iban. Al oír la campanilla, Pierre salió de la cocina llevando una charola llena de platos. Sonrió al vernos.

—¿Qué tal? ¿Vienen a comer? –preguntó.

—¡Venimos por el postre! –dijo Rodrigo contento.

—Pásenle.

En la cocina había mucha actividad. La tía Oti, con los cachetes como dos jitomates maduros, sacaba del horno dos charolas repletas de pollitos horneados, que se veían tan dorados y crujientes que me hubiera podido comer dos. Rápida, a pesar de ser muy bajita y un poco gordita, la tía servía los pollitos en los platos y junto les ponía algo parecido a una gelatina anaranjada y una cucharada de ensalada blanca y cremosa. Estaba tan apurada que ni nos había visto entrar.

—¡Qué pollitos! –dijo Rodrigo sorprendido.

La tía nos miró muy sonriente.

—No son pollitos. Hoy tenemos comida de fiesta, por las fechas, son codornices y perdices con gelatina de mandarina, nectarina y tangerina.

—La sopa del día también está de banquete –dijo Pierre cuando la tía salió de la cocina con su charola llena de codornices y perdices– es de pepita con manita, romanita y una pizca de chile morita. La ensalada es de apionabo y colinabo con mayonesa y salsa holandesa.

—¿Y el postre? –preguntó Rodrigo con cara de preocupación.

—El postre del día, siempre es una sorpresa.

—¡Quiero uno... por favor! –pidió Rodrigo riéndose.

—¡Salen dos postres del día! —dijo Pierre en voz alta mientras sacaba dos platos, servía dos cuadritos de color café y los bañaba con un jarabe dorado.

—¡La canción! —dijo Rodrigo.

—*Mais oui!* Ahí va...

> *Jamoncillo al piloncillo*
> *con jarabe de membrillo,*
> *cuando estás tan feliz*
> *como un grillo.*

Nosotros sonreímos y nos sentamos donde siempre. El jamoncillo, suave y dulce, sabía mucho a piloncillo y el jarabe de membrillo era un poco ácido, así que la combinación era agridulce y muy sabrosa.

Frente a nosotros, Cirilo rebanaba unos colinabos con los ojos casi cerrados y cabeceando. En ese momento me acordé de mi receta y no pude aguantarme más. Me acerqué a Pierre, que estaba ocupado untando codornices y perdices con mantequilla y sal gruesa.

—He estado pensando en una receta —le dije.

—Igual yo. No me quito de la cabeza el totol de Navidad.

—¿El tot...? ¡Ah, el pavo! No, no, esto es otra cosa.

—¿Qué cosa?

Yo miré a Cirilo, que ya había dejado de picar el colinabo y roncaba, así que dije en voz baja:

—Creo que tengo el remedio para Cirilo.

Pierre metió las codornices y las perdices al horno y se rascó la cabeza sin apartar la vista de Cirilo.

—¿Tú crees? ¡El *garçon* es un caso perdido!

—Puede que no tanto.

—¿En qué pensaste? –preguntó Pierre con curiosidad.

—En budín de chapulín... ¿con capulín?

—Pero no es tiempo de capulines, son del verano –dijo Pierre.

—¿Quién quiere capulines? –intervino la tía Oti–. Yo tengo algunos capulines secos.

En eso, un ronquido de Cirilo hizo que la tía volteara a verlo.

—¡Ay, no! ¡Pronto! ¡Un hielo!

—No, no, espera –le dijo Pierre– parece que Isa tiene una idea para Cirilo.

—Creo que un budín de chapulín con capulín le puede servir –dije– los chapulines brincan mucho.

—Sí, sí, pero ¿te acuerdas lo que le pasó con la natilla? ¡Todos risa y risa y él llore y llore! ¡Las rimas le hacen el efecto contrario! –comentó tía Oti.

—Tenemos que pensar bien la rima –dije.

—Bueno, a ver qué se te ocurre –dijo la tía– mientras, yo sirvo unos cafés y tú Pierre, lleva unos jamoncillos a las mesas tres, cuatro y cinco. Y rápido, que llegan más comensales.

Yo me quedé pensando en voz alta.

—Budín de chapulín con capulín con... cebollín.

—¡Con chile piquín! –gritó Rodrigo.

—¡Sí! ¡Podemos ponerle, a ver qué pasa!

En eso, entró Pierre a la cocina.

—¿Cómo va la receta?

—Escucha –le contesté–: Budín de chapulín con capulín, cebollín con chile piquín.

—Y tantito chipilín –dijo la tía Oti, que estaba muy atenta a la receta– ¡puede funcionar! Pronto, Isa y Rodrigo, a desmoronar una baguette.

La tía nos dio una baguette mediana y entre Rodrigo y yo la desmoronamos rápido. Cirilo seguía dormido, mientras la tía y Pierre iban y venían del comedor a la cocina y en cada vuelta nos daban un ingrediente y nos decían qué hacer.

—Mezcla las baguettes con los capulines –decía Pierre.

—Añade un puño de cebollín picado y revuelto con el chile piquín –sugería la tía Oti.

—Ahora, tres cucharadas de chipilín.

—¡Hay que agregar mantequilla, sal y pimienta al gusto!

—¡Faltan los chapulines! –dijo Rodrigo.

Pierre fue por los chapulines que todavía estaban en el cucurucho de periódico y lo volteó sobre la mesa. En ese momento, Cirilo dio un ronquido espectacular y casi se cae, tuvieron que detenerlo entre la tía Oti y Pierre.

—Hay que apurarnos –dijo Pierre–. Vamos a meter esto al horno diez minutos, mientras piensas en la rima.

—¿No le ponemos los chapulines? –pregunté.

—No. Con el calor del horno, las antenas y las patas pueden desprenderse y saben mejor enteros.

—Yo quiero otro jamoncillo –dijo Rodrigo.

Pierre le dio otro postre, puso una silla a un lado de Cirilo para que no se cayera y salió disparado al comedor a llevar sopas y platos de codornices y perdices. Yo me quedé pensando en la rima...

—*Budín de chapulín con tantito capulín;* no, no, no; a ver *budín con capulín con un puño de cebollín...* no, tampoco.

Al ver las migajas de pan que habían quedado al desmoronar la baguette, se me ocurrió otra idea. Tomé sólo un chapulín, lo mojé con agua y lo revolqué en las migajas, mientras seguía pensando en la rima.

—¡El budín ya tiene diez minutos en el horno! –dijo de pronto Pierre– ¡Vamos a sacarlo!

Pierre se puso unos guantes y sacó el molde del horno. Puso el budín sobre la mesa. La combinación de chile piquín, chipilín y pan horneado olía muy rico, aunque se sentía un picor en los ojos y la nariz.

—¡Rápido, ponle los chapulines Isa! –dijo Pierre.

—Sólo uno –dije– está empanizado.

—Uno no le va a hacer efecto –dijo la tía Oti desde la estufa– yo lo conozco. Pónganle tres.

Mojé otros dos chapulines y los empanicé con migajas.

—Ahora revuélvelo todo –propuso Pierre.

La tía Oti me dio una cuchara y un tenedor grandes y revolví el budín.

—*Voilà!* –dijo Pierre– sírvele un poco.

—¡Y la canción! –dijo Rodrigo. Pierre me dio una flanera y mientras servía una ración de budín, dije…

> *Budín de capulín con tantito cebollín,*
> *sazonado con piquín y bastante chipilín.*
> *Y chapulín empanizado*
> *para que siga adormilado.*

Como Cirilo seguía roncando, la tía Oti le picó las costillas, lo que le hizo pegar un brinco y despertarse un poco.

—Toma esto, Cirilo –le ofreció Pierre– lo preparó Isa.

Cirilo parpadeó tres veces y casi se vuelve a dormir. Pero Pierre le apretó la nariz y cuando abrió la boca para respirar, le metió una buena cucharada de budín. Cirilo masticó en forma mecánica y, sin abrir los ojos, se comió el resto del budín. La tía Oti iba y venía del comedor a la cocina, pero Pierre se quedó para ver qué pasaba. Cuando Cirilo terminó, se tiró al suelo como desmayado.

—¡Válgame Dios con este muchacho! –dijo la tía–. ¿Cuánto chile piquín le pusieron?

—Cuatro cucharadas –respondí.

—A ver si no lo matan.

Pero Cirilo era resistente. Y no estaba dormido. Rodrigo, Pierre y yo nos agachamos para observarlo. En el fondo, yo tenía un poco de miedo de que se convirtiera en chapulín, eso iba a ser terrible. Pero no pasó. Primero, sus orejas se pusieron verde chipilín, luego su nariz se puso naranja y, como cuando probó el sazón tuxpeño, un vapor salió muy rápido por su nariz y sus oídos, sólo que este vapor era anaranjado, del color del chile piquín.

—¡Qué padre! –dijo Rodrigo con los ojos redondos de asombro– ¡Que lo haga otra vez!

Pero ya no hubo otra vez. Cirilo se despertó y nos miró con ojos espabilados. Luego se levantó y se dirigió hacia la tía Oti, que estaba junto a la estufa.

—¿En qué le ayudo? –le preguntó Cirilo.

—Lleva esto a la mesa seis –le contestó la tía Oti, poniendo en sus manos una charola llena de jamoncillos.

Cirilo se fue caminando como gallina, pero una gallina muy despierta. Un minuto después, regresó a la cocina con la charola llena de platos sucios que había recogido de otra mesa. Eso sí, hay que decir que después del budín, el pobre Cirilo daba cuatro pasos de gallina y un brinquito de chapulín.

Pierre y la tía Oti aplaudieron contentos y me felicitaron. ¡Qué padre! Yo creí que lo de las rimas sólo funcionaba en la familia de Pierre y ahora sabía que, como él decía, la comida y el cocinero tienen su propia magia.

En ese momento se oyó la campanilla de la puerta, pero nadie le dio importancia porque ese día se había oído un millón de veces. Nadie volteó hasta que se abrió la puerta de la cocina y apareció mi mamá con los labios apretados y la cara más seria que yo le había visto en toda mi vida.

Nubes de tormenta

CREÍ que el jamoncillo de piloncillo no me había hecho ningún efecto porque ya estaba contenta, pero me equivoqué. Cuando uno está muy muy feliz, no siente el paso del tiempo. Al ver mi reloj me di cuenta: eran las cuatro y media.

—¿Qué hacen aquí? –preguntó mamá sin saludar a nadie.

—Mamá... te presento a Pierre, a la tía Oti y a Cirilo.

—Mucho gusto –dijo secamente, sin dejar de mirarme.

—Mamá, es que yo...

—Hablamos en la casa, Isabel. Vámonos.

Chin. Mi mamá sólo me dice Isabel cuando las cosas se ponen realmente graves. Sentí una bola en la garganta. Pierre y la tía me miraron preocupados. Rodrigo estaba asustado y no sabía qué pasaba. Se bajó de la silla despacito y me dio la mano.

—Buenas tardes —se despidió mamá dando media vuelta. Los tres salimos sin mirar atrás.

Apenas entramos en la casa empezó el regaño.

—¿Por qué estaban ahí, Isabel? ¿No te pedí que ya no fueran al restaurante? ¿No eres la hermana grande?

No sabía qué contestar.

—Isabel, contéstame. ¿No les dije que ya no fueran? Esas personas *no* son tu familia, *no* los conozco, *no* me gusta que ustedes estén ahí metidos.

Miré los ojos de mi mamá. Estaban apachurrados, como se le ponen a uno cuando está muy enojado. Y había algo más, una como nube de tormenta en la parte de arriba del iris.

—Contéstame, Isabel —insistió mamá con impaciencia.

—Es que... nos gusta ir porque... nos cae bien Pierre.

—¿Les cae bien? ¡Pero Isabel! ¡Qué irresponsable eres! ¿Cuántas veces fueron?

Ya no pude más. La bola en mi garganta creció y creció hasta que sentí que se reventó. Entonces empecé a llorar.

—¡Fuimos cuatro o cinco veces! ¡Y fuimos con él al mercado el sábado!

—¿Por qué me desobedeciste? —preguntó mamá con una cara que no era la suya. Rodrigo empezó a llorar también, escondido detrás de mí.

—¡Porque sí! ¡Porque Pierre es nuestro amigo! —grité entre sollozos—, porque nos sentimos contentos y porque...

—Pero *yo* no los conozco...

—¡Eso es, mamá! No los conoces, pero ellos son... son... muy lindos. Y nos hacen sentir contentos.

Mamá suspiró muy fuerte y se sentó en un escalón.

—Pero Isa... tú eres la grande; tienes que cuidarte tú y cuidar a tu hermano.

—Eso me dices siempre –grité– ¡siempre tengo que ser la grande! ¡Ya no quiero ser la grande!

Rodrigo seguía escondido atrás de mí, pero me zafé y subí corriendo las escaleras. Cerré la puerta con llave y me senté en mi cama. Me sentía muy triste. Pasó un rato muy largo. Oí que Rodrigo se bañaba y que mamá le daba de cenar, pero yo no quise salir. De repente ya no se oyó ningún ruido y mamá tocó la puerta de mi cuarto.

—Isa, quiero hablar contigo.

Le abrí la puerta y las dos nos quedamos ahí paradas. Entonces mamá me dio la mano y nos sentamos en la cama. Me miró a los ojos, me arregló el pelo y me dio un abrazo muy fuerte.

—Perdóname, Isa. Es que a veces siento que cargo al mundo en mi espalda. Y la verdad es que todo el mundo tiene problemas.

—Tú también perdóname... porque te desobedecí.

—Me hubieras dicho la verdad.

—Pero tú no querías oírme.

Mamá meneó la cabeza y suspiró.

—Ay, Isa. Es que a veces quisiera que todo fuera perfecto y que ustedes se portaran como robotitos, pero eso no puede ser. ¿Y sabes una cosa? No eres irresponsable. Al contrario, me ayudas mucho aunque sólo tienes diez años. Cuando yo tenía tu edad, no tenía que cuidar a ningún hermanito.

Mamá y yo nos volvimos a abrazar y así estuvimos un buen rato. Yo ya no sentía la bola en la garganta, ni tampoco al gusanito. Se habían ido.

Una receta para Pierre

MIENTRAS más se acerca la Navidad, los días pasan más rápido y uno tiene muchas cosas que hacer. El sábado vino mi abuelita a hacer el bacalao y los romeritos. A mí me gustan más los romeritos que el bacalao, pero Rodrigo no quiso probar ninguno de los dos. Y el domingo hicimos una posada con mis primos en la casa de mi otra abuelita.

Yo traté de no pensar en Pierre, en la tía Oti o en Cirilo, aunque no fue posible. Quería ir a desearles feliz Navidad y estaba esperando el mejor momento para hablar de eso con mamá. Sin embargo, el lunes, como a las doce, llamaron a la puerta y yo fui a abrir.

—¿Quién es? –preguntó mamá desde la cocina.

—Es la tía Oti –le contesté.

La tía se veía un poco pálida y hasta me pareció que había adelgazado. Mamá se acercó a saludarla.

—¡Hola, tía Oti! –dije.

—¿Cómo estás, Isa? –dijo la tía un tanto seca. Y luego miró a mi mamá–. Señora, buenos días, ¿nos permitiría hablar un momento, a Isa y a mí?

—Sí –contestó mamá un poco nerviosa– pasen a la cocina.

Tía Oti y yo nos sentamos en la mesa de la cocina. Ella estaba muy misteriosa.

—¿Está bien Cirilo? –le pregunté, pensando que a lo mejor venía a decirme que los brincos de chapulín habían aumentado.

—Cirilo está muy bien, Isa. No es de Cirilo de quien vengo a hablar –me contestó y, mirando con cara de sospecha hacia la puerta de la cocina, bajó la voz todo lo que pudo–. Es de Pierre.

—¿Pierre? ¿Qué le pasa?

—¡Shhh! ¡Habla más quedito!... Algo le pasa, pero no sé qué es.

—¿Qué tiene?

—No quiere comer nada y tampoco quiere cocinar nada.

—¡No!

—¡Sí! Y eso, en Pierre, es gravísimo. Sólo está sentado en la cocina, contando lentejas. Nunca lo había visto así. Hoy tuvimos que cerrar el restaurante, porque yo sola no puedo hacer todo.

—¿Ya le vio los ojos?

—Qué ojos ni que ocho cuartos. Pierre está enfermo desde el día que –la tía Oti bajó la voz otra vez– ...su mamá fue por ustedes al restaurante.

—O sea que... ¿es por nosotros?

—Yo diría que sí. Y lo peor es que para la comida del día 24 teníamos no sé cuántas reservaciones. Hasta los papás de la niña del sazón tuxpeño hicieron reservación.

—¿Los papás de Cristina?

—Con decirte que sí.

—¿Quiere que... hable con él?

—¿Crees que tu mamá te dejaría ir? La vi muy molesta el otro día.

—Bueno, le voy a explicar...

—Es que Pierre es muy sentimental. Le agarran unas tristezas que ¡bueno!, ¿por qué crees que éste se llama el "nuevo" restaurante?

—¿Hubo uno viejo?

—¡Hubo tres viejos! Y en todos pasó algo que le dio taaanto sentimiento, que acabó cerrándolos.

—¡No!

—¡Sí! Ándale, ve a decirle a tu mamá.

—En un rato paso al restaurante.

—Te espero.

La tía Oti se fue. Entonces le conté a mamá lo que le pasaba a Pierre. Me escuchó muy seria y me dejó ir a verlo. Cuando llegué al restaurante, todo estaba muy silencioso y la cocina, fría y callada, no olía como siempre. La enorme canasta que Pierre usaba para ir al mercado, estaba vacía abajo de la mesa donde nos sentábamos. Cirilo, muy derecho y despierto, esperaba una orden junto a la tabla de picar. Y la tía Oti, que parecía pulga amarrada, golpeaba con sus dedos impacientes en la estufa.

Pierre estaba sentado en una mesa hasta el fondo de la cocina. Ya llevaba quince montoncitos de lentejas y ahora estaba contando chícharos secos. Sin embargo, cuando me vio dejó lo que estaba haciendo y me sonrió. Entonces comprendí porqué la tía Oti estaba preocupada. Pierre estaba pálido, sus cachetes se habían desinflado y tenía el pelo todo revuelto.

—¿Estás enfermo?

—*No, no, no* –dijo con boca de chiflido– es que últimamente he tenido poco apetito.

—¿Estás... triste?

—*No, no.* No me siento triste –dijo todo aplatanado y dio el suspiro más grande que he oído en mi vida. Un elefante no hubiera suspirado igual. Pensé que era momento de verlo a los ojos para saber qué pasaba en su corazón. Eso no fue fácil porque Pierre tenía la mirada en quién sabe dónde. Me miraba, pero no me miraba. Por fin, me acerqué un poco y pude ver qué pasaba ahí adentro.

—Tienes un gusanito –dije– se te ve una manchita en el ojo derecho.

—¿Sí? –preguntó desanimado.

—¡Sí! Veo algo más, pero no sé qué es –dije, tratando de ver sus ojos con toda la atención posible. En eso, vi algo muy raro. Rarísimo, aunque ya lo había visto antes.

—¿Qué tanto le ves en los ojos? –preguntó la tía Oti.

—Algo raro. Espérenme aquí, voy a mi casa.

Salí volando del restaurante y fui con mi mamá, que estaba arreglando su clóset.

—¡Mamá! ¡Préstame tu lupa!

Mamá sacó la lupa de un cajón y me la dio. Bajé las escaleras casi de un brinco y me detuve a ver la foto de la boda de mis papás con la lupa, después me vi los ojos en el espejo y hasta le miré los ojos a Rodrigo, para estar segura.

—¡Esto está de lo más raro! –dije y me fui como rayo al restaurante. Cuando llegué ahí, Pierre estaba como lo había dejado: pensando en la inmortalidad de las jaibas, con un puño lleno de chícharos secos. Me acerqué y le vi los ojos con la lupa. Después me senté y suspiré casi como elefante.

—¿Qué pasa? –preguntó la tía Oti– ¿Qué tiene?, ¿qué le viste en los ojos?

—Tiene una luz rosa en el fondo de las pupilas.

—¿Y eso qué quiere decir? –preguntó la tía impaciente– ¡Habla Isa, por Dios!

—Está enamorado.

—¿ESTÁ ENAMORADO? –preguntaron la tía Oti y Cirilo al mismo tiempo.

—Algo así. Miren, no estoy muy segura, pero vi la foto de bodas de mis papás. Los dos tienen una luz rosa en el fondo de las pupilas. Y esa luz no la tengo yo, ni Rodrigo y seguro que ustedes tampoco.

Pierre, mientras tanto, revolvía el montoncito de chícharos recostado en la mesa y suspirando como vaca. Pero la tía no dejaba de resoplar impaciente.

—Óyeme muy bien, Pedro Cornichón –dijo enojada– nada de que estás enamorado, ¿me oíste? Ahora dime, ¿estás enamorado?

Pierre sólo dijo que sí con la cabeza.

—Por el santo niño de Atocha, ¿de quién estás enamorado?

—De la mamá de Isa.

—¿QUÉ? ¡Pero si sólo la vio una vez! ¡Pero si ni le habló! ¡Pero qué le pasa! –dijimos a coro la tía, Cirilo y yo.

—Así es el amor a primera vista –nos contestó Pierre, que ya empezaba a comerse las lentejas– sólo la vi una vez y estaba muy enojada, ni siquiera me miró, pero... vi sus ojos y sé que cuando está contenta, su corazón debe ser el más tierno y alegre que existe.

—Bueno, ahora que sabes lo que tienes, puedes ponerte a trabajar –lo regañó la tía Oti– hoy tuvimos que cerrar el restaurante, en dos días es 24 de diciembre y tenemos cincuenta reservaciones.

Como respuesta, Pierre sólo suspiró y se metió un puñado de chícharos secos a la boca. Yo estaba sorprendida con el asunto del enamoramiento de Pierre por mi mamá. Pero estaba segura de que habría alguna receta que podía calmar lo que sentía.

—¿Qué tiene en el refrigerador? –pregunté.

—¡Vamos a ver! Seguramente habrá algo que nos ayude –dijo la tía abriendo el refri–. Tengo un cazón grande y camarones, hoy íbamos a hacer caldo largo de pescado.

—Cazón... camarón... corazón. ¡Sí! ¡Vamos a hacer caldo largo! –grité.

—¡Pronto, Cirilo, pica ajos, cebollas y varios chiles cuaresmeños! –dijo la tía Oti– yo muelo los jitomates. Tú, Isa, lava el cazón y los camarones.

Entre la tía Oti y yo hicimos un caldo de pescado mientras Cirilo freía cebollas y ajos, y en ellos cocinó el jitomate molido. Después la tía añadió el caldo de pescado, el cazón, los camarones, los chiles cuaresmeños y lo sazonó muy bien con sal y pimienta.

—¿Ya pensaste en la rima, Isa?

—Creo que ya, pero siento que falta algo... cazón, camarón, corazón... ¡Ya sé! ¡Cascarón! Necesitamos un cascarón de huevo...

Cirilo rompió un huevo y me dio el cascarón. Entonces recordé que Pierre, cuando usaba un ingrediente raro, sólo le ponía un poquito. Así que le puse un pedacitito de cascarón al caldo y lo probé.

—¡Creo que está listo!

—Vamos a servírselo a Pierre –me apuró la tía dándome un plato hondo. Así, mientras servía el caldo largo, dije:

Caldo largo de cazón,
con bastante camarón

y tantito cascarón,
alivian el corazón.

Pierre probó el caldo largo y se lo comió con ganas. Cuando terminó, suspiró satisfecho. Se veía mejor.

—¡Ahhhh! ¡Qué buen caldo! Tía Oti, Isa, Cirilo... voy al mercado –dijo.

—¿Cómo te sientes? –pregunté.

—Bueno, el dolor de corazón es de los más fuertes que hay. Pero pensé en algo, en algo... ¡Luego les digo! ¡Ahora, me voy!

Lo que pasó me daba vueltas y vueltas en la cabeza. Por un lado me sentía contenta, pero por otro no sabía qué pensar. Esa tarde, cuando estábamos acabando de comer, volvió a sonar el timbre de la puerta. Esta vez, mamá fue a abrir. Rodrigo y yo, desde la cocina, oímos la voz de Pierre. Rodrigo salió corriendo para saludarlo, pero yo lo agarré en el camino y lo detuve.

—¡Espérate, Rodrigo! –le dije– ¡Pierre está hablando con mamá! Rodrigo parecía ratón atrapado, pero cuando Pierre habló, se quedó quieto.

—¡Ejem! Buenas tardes, *madame.*

—Buenas tardes –le contestó mamá.

—¡Ejem! Creo que el otro día nuestro encuentro no fue, ¡ejem!, muy afortunado.

—Creo que no. Pero en realidad, le debo una disculpa, yo...

—*Mais non, madame.* No vengo a que se disculpe. Vengo a invitarlos a la comida de Navidad que haremos el día 24 en el restaurante.

Rodrigo me miró con los ojos redondos y yo sonreí.

—Pero yo... –comenzó a decir mamá.

—No aceptaré un no.

—Es que, nosotros...

—*S'il vous plâit.*

Hubo un silencio que me pareció eterno.

—Bueno, ¿es el 24, verdad? Creo que... podemos ir –dijo mamá al fin. En ese momento, Rodrigo se zafó y salió corriendo.

—¡Pierre! –gritó y le dio un abrazo.

Pierre lo cargó. Yo también me acerqué.

—¡Hola, Rodrigo! ¡Hola, Isa!

—¿Nos invitaste a comer? –preguntó Rodrigo.

— Sí

—¿Vas a hacer postre?

—Voy a hacer de todo.

Pierre puso a Rodrigo en el suelo y se despidió de mamá.

—*Madame,* los espero el miércoles a las dos y media. Mamá se despidió con la mano y cerró la puerta.

—¡Vamos a ir con Pierre! –dijo Rodrigo.

—¡Ya verás mamá, su comida se siente padrísima! –dije.

—¿Se siente padrísima? ¡La comida no se siente!

—¡Ya verás que ésta sí!

Comida de Navidad

EL día 24 llegó en medio de muchas carreras. Ese día, desde que amaneció, Rodrigo estaba preguntando a qué hora nos íbamos con Pierre. Mamá revoloteaba por toda la casa con una lista de pendientes y llamadas urgentes en la mano. En la noche nos íbamos a reunir con mi abuelita, la mamá de mi mamá, y mis tíos. Como todos saben que mamá no es muy buena cocinera, le pidieron que llevara refrescos, papas fritas y una tal jalea de arándano para el pavo, que venden en lata. Pero a las once de la mañana mamá se dio cuenta de que había olvidado por completo la jalea, así que nos trepamos al coche y fuimos al súper, que estaba a reventar.

En la caja, había seis personas antes de nosotros con los carros repletos de cosas y Rodrigo todo el tiempo decía que ya se quería ir. Llegamos a la casa al cuarto para las dos, corre y corre. Íbamos subiendo la escalera cuando mamá nos detuvo.

—Pónganse muy guapos ¿eh? Isa, ponte tu faldita verde que...

—¿Mi faldita verde? –pregunté con cara de tragedia. Me chocan las falditas. Mamá me miró seria y luego se rió.

—¡Bueno! ¡Pónganse lo que quieran! Pero que por lo menos esté planchado. Y péinense.

Ya sabía lo que me iba a poner. Era lo que más me gustaba: mis pantalones de pana azul y mi suéter amarillo. Cuando entré al baño a peinarme, ahí estaba Rodrigo, vestido con su pantalón café, su suéter de perro y con el pelo tieso y mojado de tanto gel que se había untado. Eran las dos y ya estábamos listos. Pero mamá no. Sobre su cama había tres vestidos y varias blusas, y ella estaba frente a su espejo, poniéndose una cosa y otra junto a la cara.

—¿Cuál se me ve mejor? –preguntaba.

—¡Ya vámonos! –decía Rodrigo.

Después de sacar medio clóset, mamá no se decidía. Rodrigo no paraba de decir que ya nos fuéramos, así que mamá nos sacó del cuarto y cerró su puerta con llave. Veinte minutos después, salió.

—Estás muy bonita mamá –dijo Rodrigo.

Mamá estaba bonita. Se puso un vestido y un saco que hacía mucho tiempo no se ponía, se había pintado y se había dejado el pelo suelto. También se perfumó. Me miró sonriente y yo también me reí.

Llegamos al restaurante a las dos y media en punto. Ya estaba lleno. Al oír la campanilla, Pierre

y la tía Oti salieron a recibirnos muy sonrientes y nos sentaron en la mejor mesa, en una esquina, junto al arbolito y al nacimiento. En cada mesa, habían puesto unos menúes escritos a mano en papel verde claro.

Menú Navideño

- Botana de ancas de rana a la mejorana
- Arroz con chile catarina, caldo de gallina y sardina en gabardina
- Sopa de haba con guayaba
- Totol al piloncillo, relleno de picadillo, con salsa de tomatillo, guajillo y pepinillo
- Ensalada de manzana y papayita hawaiana
- Huauzontle al chipotle, con mole, chilmole y tantito chileatole
- El postre del día, siempre es una sorpresa
- Ponche de frutas

—¿Les puedo ofrecer, para empezar, agua fresca del día? —nos preguntó Pierre, que tenía en la mano una jarra con agua roja en la cual se veían flotando unas diminutas semillitas negras.

—Sí —contestó mamá y Pierre nos sirvió un poco de agua a cada uno.

—¿De qué es? —pregunté.

—*Agua sandía, con semillas de chía, por la alegría que nos trae este día.* Pierre me guiñó un ojo y se fue a la cocina. Mamá brindó con nosotros.

—¡Salud! —nos dijo y se tomó su agua. Yo también me tomé la mía. Era dulce y fresca y sentí, como me había pasado muchas veces en el restaurante de Pierre, que estaba tomando risa en polvo. Un momento después llegó otra vez Pierre con la botana de ancas de rana. Yo me pregunté si nos diría una rima al traernos cada platillo, pero no.

—¡Qué chistosos nombres tienen todos los platos! —dijo mamá con mucha risa—, ¿y qué será el totol?

—¡Es pavo! —contestó Rodrigo.

Después de las ancas vinieron el arroz y la sopa de haba con guayaba. Mamá la olió con desconfianza, porque no le gustan las habas, pero después de probarla dijo que esa sopa estaba muy buena. Cirilo nos trajo, a Rodrigo y a mí, refresco de limón y a mamá una copa de vino. Más tarde, Pierre llegó con unos platos en los que había pavo rebanado, acompañado por una ensalada hecha con cuadritos de gelatina anaranjada y dados de manzana.

—*Madame,* el totol —dijo Pierre mientras colocaba los platos en la mesa.

—¡Todo está delicioso! —dijo mamá, mientras le daba una probadita al totol— ¡Mmmm! ¡Este es el mejor pavo que he comido en mi vida!

Pierre sonrió feliz y se fue a la cocina casi bailando. Nosotros también estábamos muy contentos, platicando de todo. Después del totol, vinieron los huauzontles. Rodrigo no quiso probarlos porque no le gusta el mole.

—¿Qué le pareció todo, *madame*? –preguntó Pierre cuando Cirilo se llevó los platos sucios.

—¡Háblame de tú! –le dijo mamá– ¡Todo estaba buenísimo!

Pierre se puso rojo.

—¿Quieren postre? –preguntó Pierre.

—¡Sííí! –gritó Rodrigo.

—¿De qué es? –preguntó mamá.

—El postre del día, que siempre es una sorpresa –contestó Pierre.

—¿Por qué no te sientas y te tomas un postre con nosotros? –lo invitó mamá. Los ojos de Pierre brillaron y sus orejas se pusieron rojas.

—*Oui, si, si, madame*. En un momento regreso.

—¿Por qué tanto misterio con el postre? –nos preguntó mamá en secreto.

—Siempre dice que es una sorpresa –le contesté.

Pierre regresó a la mesa con una charola donde traía cuatro platos con postre y cuatro tazas de ponche. En cada plato, había dos bolitas de helado, una negra y otra café, en la que se veían pedacitos de algo también café y estaba servida sobre una pequeña galleta.

—¡Mmmmm! ¡Helados!, ¡lo que más me gusta!, ¿de qué son? –preguntó mamá.

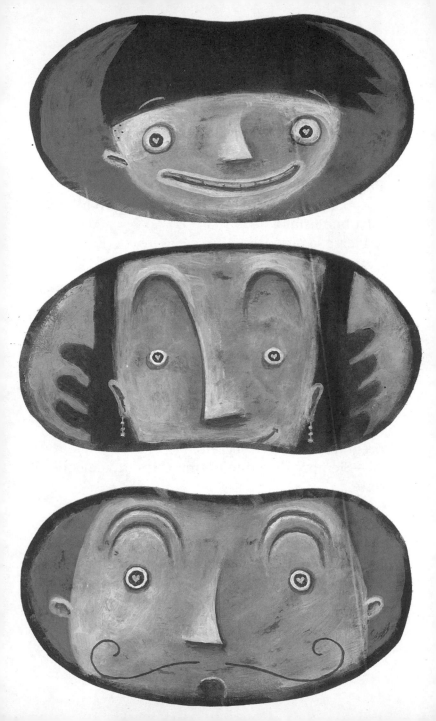

—Eh... bueno, los helados tienen muchos ingredientes –contestó Pierre.

—¿Y tienen canción? –preguntó Rodrigo emocionado.

—*Mais oui...* –contestó Pierre:

> *Nieve de zapote, chicozapote y tejocote*
> *con rabito de guayaba,*
> *por este año que se acaba y*
> *tres gotas de cerveza,*
> *por el que todavía no empieza.*

—Esa es la nieve negra –dije– ¿y la otra?

—*Ooh la la!* Esa es especial, escuchen:

> *Nido de alfajor*
> *con helado de cajeta, palanqueta y galleta,*
> *para el amor,*
> *que cura cualquier dolor.*

Todos empezamos a comer el postre. La nieve de zapote con chicozapote y tejocote sabía y olía riquísimo. Me recordó el día que fuimos al mercado y Pierre nos dijo que olía a Navidad. Muy en el fondo, se sentía el sabor de la guayaba y pensé en papá, le hubiera gustado mucho. Luego probé el helado, sabía a pura crema endulzada con cajeta. Los pedacitos de palanqueta eran pequeños y crujientes, y el alfajor me pareció la galleta más rica del mundo. Cuando acabamos el postre nos tomamos el ponche, y con cada traguito la tristeza que a veces sentía rodaba entre cañas y tejocotes, pasitas y té limón, hasta hacerse invisible. Entonces vi los ojos de mamá. Estaban tan limpios y alegres que pude ver en ellos un corazón lleno de recuerdos felices. También miré los ojos de Pierre, parecían reírse desde adentro. Después vi los ojos de Rodrigo, brillantes y felices. Y en sus ojos, vi los míos.

Índice